LA GRAMMAIRE SANS PROBLÈME !

Des leçons simples et des exercices pour adolescents

Auteure
Sylvie Poisson-Quinton

Révision pédagogique
Michèle Grandmangin-Vainseine

EDITIONS
maison des
langues

www.emdl.fr/fle

Une grammaire du français pour les jeunes !

La grammaire sans problème ! s'adresse à des adolescents qui souhaitent à la fois disposer d'explications complètes des niveaux A1-A2 du CECRL et également mettre en pratique les différents points abordés dans les leçons grâce à plus de 200 activités écrites et orales proposées dans cet ouvrage.

Les élèves peuvent utiliser ce livre en complément de leurs manuels de français, en classe ou bien en auto-apprentissage.

La grammaire sans problème ! permet également de préparer les examens officiels de niveaux A1 et A2. Tous les exercices proposés peuvent se faire tout seuls, à deux ou en petits groupes.

Un fonctionnement clair et simple

- Sur la page de gauche, une page d'explications simples mais précises, toujours accompagnées d'exemples en contexte qui facilitent la compréhension du point de langue abordé.

- Sur la page de droite, des exercices de mise en pratique immédiate de ce point de langue.

Des contenus réellement adaptés au monde des adolescents

Le lexique abordé dans les chapitres ainsi que l'ensemble des situations de communication et des exercices ont été pensés pour favoriser la motivation des adolescents.

De nombreuses illustrations

Les illustrations présentes dans cet ouvrage facilitent la compréhension du point de grammaire abordé en le remplaçant systématiquement dans la situation de communication correspondante, ce qui aidera l'apprenant à le réutiliser immédiatement. L'humour est très souvent présent dans ces illustrations spécialement créées pour cet ouvrage.

La compréhension orale

Cet ouvrage propose de nombreux enregistrements pour aider les élèves à perfectionner leur compréhension orale et à prendre conscience de l'importance de l'intonation pour interpréter correctement un message.

Les transcriptions des documents sonores sont disponibles à la fin de l'ouvrage.

On trouvera en annexe...

- un dictionnaire des principaux termes de grammaire utilisés avec des explications et des exemples,

- un bilan final pour vérifier l'acquisition des contenus grammaticaux des niveaux A1 et A2 du CECRL,

- des tableaux de conjugaison complets,

- une section consacrée aux différentes constructions verbales,

- les corrigés des exercices, les transcriptions des enregistrements,

- un index détaillé permettant de se reporter à la page voulue.

La grammaire, ce n'est pas toujours facile, mais c'est toujours intéressant, alors courage !

L'auteure

Page de présentation du chapítre

Sur la page de présentation, une phrase résume l'objectif de chacun des chapitres. L'ensemble des leçons constituant cette unité sont présentés par la suite.
Un dessin humoristique reprend la thématique du chapitre et clôt cette page. Chaque chapitre a sa couleur propre.

Double page explications et exercíces

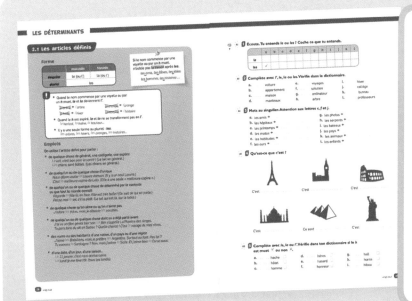

À gauche, des explications présentées en général avec les **Formes** et ensuite les **Emplois**. Un ou deux encadrés *Attention !* permettent d'insister sur certaines difficultés, et un ou deux post-it attirent l'attention sur un point particulier.
À droite, les exercices. Il y en a quatre ou cinq par leçon. Ils commencent souvent par un exercice audio. Leur niveau (A1 ou A2) est indiqué à chaque fois. Certains exercices comprennent des dessins, des images ou des photos.

Page bilan

La page bilan qui se trouve à la fin de chaque chapitre s'articule autour de trois ou quatre exercices reprenant les éléments grammaticaux les plus importants du chapitre. Ils permettent de vérifier si les contenus sont acquis, en voie de l'être ou non acquis.

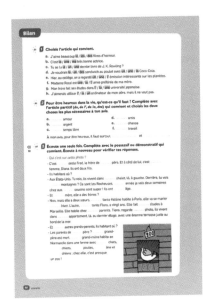

Les mots grammaticaux

Adjectif qualificatif

Il donne des informations sur le nom ou sur le pronom.
C'est une belle maison blanche. ~ *Je suis grande et blonde.*

Adverbe

Il donne des informations sur le verbe (*Il court vite*), sur un adjectif (*Elle est très intelligente*) ou sur un autre adverbe (*Il travaille trop lentement*).
Il peut aussi donner des informations sur toute la phrase (*Demain, nous partons en vacances*).

Article

C'est un déterminant. Il donne le genre (masculin/féminin) et le nombre (singulier/pluriel) du nom. Il est toujours avant le nom. Il y a trois catégories d'articles :
- les articles définis (*l'*, *le*, *la*, *les*)
- les articles indéfinis (*un*, *une*, *des*)
- les articles partitifs (*du*, *de l'*, *de la*, *des*)

Attention : avec *à* et *de*, les articles définis *le* et *les* ont une forme contractée : *à + le = au* ; *à + les = aux* ; *de + le = du* ; *de + les = des*.

Auxiliaire

On utilise les verbes *avoir* et *être* comme auxiliaires pour former les verbes composés (*Il est venu, elles ont compris*) ou –toujours avec *être*– les verbes pronominaux (*Nous nous sommes levés tôt*).

Cause

On explique les raisons d'un événement ou d'une action. Le plus souvent, on utilise *parce que* (*Il rit parce qu'il est content*).

Comparatif

On compare deux ou plusieurs personnes, choses, idées... Il y a trois catégories de comparatifs :
- le comparatif de supériorité : *plus* + adjectif ou adverbe + *que* / *plus de* + nom + *que*
  Il est plus riche que moi. ~ *Il a plus d'argent que moi.*
- le comparatif d'égalité : *aussi* + adjectif ou adverbe + *que* / *autant de* + nom + *que*
  Il est aussi riche que moi. ~ *Il a autant d'argent que moi.*
- le comparatif d'infériorité : *moins* + adjectif ou adverbe + *que* / *moins de* + nom + *que*
  Il est moins riche que moi. ~ *Il a moins d'argent que moi.*

Complément d'objet direct (COD)

Il suit directement le verbe, sans préposition.
Tu écoutes la radio ?

Complément d'objet indirect (COI)

Entre le verbe et le nom, il y a une préposition (*à* ou *de*).
Je parle à mes copains. ~ *Il s'occupe des enfants.*

Comptable/non comptable

On peut compter les noms "comptables" (*des enfants, des pommes, des idées...*) ; on ne peut pas compter les non-comptables (*du vent, de la farine, du sel...*).

Consonnes

b, c, d, f, g, h, j, k, l, m, n, p, q, r, s, t, v, w, x, z

et voyelles

- simples ➜ *a, e, i, o, u*
- nasales ➜ [ã] (*avant, blanc*) ~ [ɛ̃] (*un, main*) ~ [õ] (*blond, rond*) ~ [œ̃] (*parfum, brun*)

Définis

➜ Voir « Article ».

Démonstratif (adjectif)

C'est un déterminant qui sert à montrer : *ce garçon* ~ *cet homme* ~ *cette fille* ~ *cette histoire* ~ *ces hommes* ~ *ces femmes*.

Déterminant

C'est un mot qui est avant le nom et qui sert à le préciser. Les articles, les adjectifs démonstratifs et les adjectifs possessifs sont des déterminants.

Groupe nominal

C'est l'ensemble *déterminant* + *nom* (+ *adjectif*).
Une voiture noire est passée très vite.

H aspiré

On ne fait pas la liaison avec le mot qui précède.
les Hollandais ~ le hasard ~ en Hollande ~ en Hongrie...

H muet

On fait la liaison avec le mot qui précède.
un hôtel, un hiver, les habits, les hommes...

Impératif

Ce mode exprime une idée d'ordre, de conseil ou, à la forme négative, d'interdiction. Il n'a pas de pronom sujet et il n'y a que trois personnes : *Pars ! Partons ! Partez !* ~ *Ne pars pas ! Ne partons pas ! Ne partez pas !*

Impersonnel (verbe)

Le sujet est le *il* impersonnel.
il y a... ~ il faut... ~ il pleut ~ il fait beau ~ il fait froid ~ il neige...

Indéfinis

➜ Voir « Article ».

Infinitif

C'est un mode impersonnel qui est comme le « nom » du verbe. *Être, avoir, aller, venir, savoir, prendre, s'appeler....* sont des infinitifs.

Interrogation

- Totale : Elle porte sur toute la phrase. La réponse est oui ou non. Il y a trois formes : *par intonation* (*Vous venez ?*), avec *est-ce que* (*Est-ce que vous venez ?*) et (plus formelle) avec une *inversion sujet-verbe* (*Venez-vous ?*).
- Partielle : Elle porte sur un aspect de la phrase : *le moment* (*Tu viens quand ?*), *le lieu* (*Tu vas où ?*), *la manière, le moyen* (*Tu pars comment ?*).

Négation

- Totale ➜ *ne... pas*
- Partielle ➜ *ne... rien, ne... personne, ne... jamais, ne... plus, ne... pas encore*

Nom commun

Il désigne une personne (*un homme, une femme*), une chose (*un bus, une voiture*), quelque chose d'abstrait (*une idée, la patience*).

Nom propre

Il désigne quelqu'un ou quelque chose d'unique.
Jim Morrisson, Harry Potter, la France, Moscou....

Nombre cardinal

1, 2, 3, 4, 5, 6...

Nombre ordinal

Il permet de classer : *premier, deuxième, troisième, quatrième...*

Participe passé

Avec l'auxiliaire **avoir** ou **être**, il forme le passé composé : *Elle a dîné. ~ Elle est arrivée. ~ Elle s'est dépêchée...*

Partitifs

→ *Voir « Article ».*

Phrase

Elle commence par une lettre majuscule et se termine par un point. Il y a des phrases simples (avec un seul verbe : *Il est là*) et des phrases complexes (avec deux ou plusieurs verbes : *Il est là et il t'attend*).

Possessif (adjectif)

Il exprime la possession, l'appartenance, la familiarité. *C'est mon ordinateur. ~ C'est mon pays. ~ C'est ma meilleure copine.*

Préfixe

Le préfixe est placé avant un mot et change son sens. Il peut être avant un verbe (*prendre, apprendre, comprendre...*), avant un nom (*mon ex-copain, une préposition, la télévision*), avant un adjectif (*impossible, illégal, extraordinaire*).

Préposition

Elle permet de relier deux mots : deux noms (*la copine de Pierre*), un nom et un verbe (*une machine à faire du pop-corn*), un verbe et un nom (*je pense à mes vacances*), deux verbes (*on commence à travailler à huit heures*). Les prépositions les plus courantes sont **à**, **de**, **par**, **pour**, **chez**...

Pronom

Il remplace un nom (pro-nom !). On distingue :
- les pronoms sujets → **je**, **tu**, **il**, **elle**, **on**, **nous**, **vous**, **ils**, **elles**
- les pronoms toniques → **moi**, **toi**, **lui**, **elle**, **nous**, **vous**, **eux**, **elles**
- les pronoms COD → **me**, **te**, **le**, **la**, **nous**, **vous**, **les**
- les pronoms COI → **me**, **te**, **lui**, **nous**, **vous**, **leur**

Pronom relatif

Il remplace un nom et relie deux propositions : **qui** (*C'est une fille qui est dans ma classe*), **que** (*C'est une fille que je connais bien*), **où** (*C'est la rue où j'habite*)...

Pronominal (verbe)

Le verbe pronominal est formé d'un pronom complément et d'un verbe. Le sujet du verbe et le pronom représentent la même personne. Il existe :
- les verbes pronominaux réfléchis
  Elle se dépêche. ~ Je me lève.
- les verbes pronominaux réciproques
  Ils se rencontrent.

Proposition

C'est un ensemble de mots constitué autour d'un verbe. On distingue :
- les propositions indépendantes : une seule proposition, un seul verbe.
  Je viens avec vous. ~ Nous arriverons à sept heures.
- les propositions principales : elles ne peuvent pas exister toutes seules, elles commandent toujours une ou plusieurs autre(s) proposition(s).
  Je ne sais pas où il habite. ~ Elle nous explique qu'elle vient du Canada et qu'elle va passer un an à Marseille.
- les propositions subordonnées : elles dépendent de la proposition principale, elles ne peuvent pas exister toutes seules.
  Il dit qu'elle est jolie. ~ On pense qu'on voyagera bientôt vers Mars.

Registre de langue

Ou niveau de langue. On doit utiliser les mots en fonction du contexte, de la situation. En général, on distingue :
- le registre familier (à utiliser avec la famille, les amis proches...). Par exemple, *un bouquin* (→ un livre), *c'est hyperfacile* (→ très facile), *un truc* (→ une chose).
- le registre standard, normal, qu'on peut utiliser partout (*un livre, c'est très facile, une chose*).
- le registre soutenu, élégant, plutôt réservé à l'écrit (*un ouvrage, c'est aisé, une question...*).

Superlatif

Il y a deux catégories :
- de supériorité → *le plus grand, le plus beau, le meilleur / le plus facilement, le plus vite, le mieux*
- d'infériorité → *le moins grand, le moins beau, le moins bon* (*le pire*) / *le moins facilement, le moins vite, le moins bien ou le pire*

Synonyme

Deux mots synonymes ont le même sens ou presque le même sens (*finir* et *terminer* ; *superbe* et *magnifique*). Mais attention au contexte de la phrase et attention au registre de langue !

Temps

Attention, en français, *temps* a au moins trois sens très différents :
- le temps qu'il fait (météo) → *Hier, il a fait un temps superbe !*
- une idée de durée → *Tu as mis combien de temps pour venir ?*
- un terme purement grammatical. On distingue :
  - les temps simples (présent, futur, imparfait...)
  - les temps composés (passé composé...)
    Dans cette phrase, le verbe est à quel temps ?

Verbe

C'est un peu le cœur de la phrase. Il se conjugue selon la personne (*Je suis, il est, vous êtes...*), selon le temps (*Il vient, il est venu...*). Le sujet du verbe peut être un nom propre (*Carla arrive*), un nom commun (*Ma cousine arrive*), un pronom (*Elle arrive*).

SOMMAIRE

1. LES PRONOMS, LES NOMS ET LES ADJECTIFS — 7

1.1 Les pronoms personnels sujets — 8
1.2 Les pronoms toniques — 10
1.3 Les noms (1) — 12
1.4 Les noms (2) — 14
1.5 Les présentatifs — 16
1.6 Les adjectifs qualificatifs (1) — 18
1.7 Les adjectifs qualificatifs (2) — 20
1.8 Les comparatifs — 22
1.9 Les superlatifs — 24
1.10 Bilan — 26

2. LES DÉTERMINANTS — 27

2.1 Les articles définis — 28
2.2 Les articles contractés — 30
2.3 Les articles indéfinis — 32
2.4 Les articles partitifs — 34
2.5 Les adjectifs possessifs — 36
2.6 Les adjectifs démonstratifs — 38
2.7 Bilan — 40

3. LES PRONOMS COMPLÉMENTS — 41

3.1 Les pronoms COD — 42
3.2 Les pronoms COI — 44
3.3 Le pronom *en* et *y* — 46
3.4 Les pronoms réfléchis et les pronoms relatifs — 48
3.5 La place des pronoms compléments — 50
3.6 Bilan — 52

4. L'EXPRESSION DE LA QUANTITÉ — 53

4.1 La quantité devant un nom — 54
4.2 La quantité devant un adjectif, un adverbe ou un verbe — 56
4.3 Les nombres — 58
4.4 Bilan — 60

5. LE VERBE : CONJUGAISON ET EMPLOIS — 61

5.1 Les verbes *être* et *avoir* — 62
5.2 Les verbes en *-er* — 64
5.3 Les verbes pronominaux — 66
5.4 Les verbes *partir*, *finir*, *mettre* et *lire* — 68
5.5 Les verbes *venir*, *prendre*, *dire* et *faire* — 70
5.6 Les verbes *pouvoir*, *savoir* et *vouloir* — 72
5.7 L'obligation : *devoir* et *il faut* — 74
5.8 Les formes impersonnelles — 76
5.9 Bilan — 78

6. LE VERBE : TEMPS ET MODE — 79

6.1 Le présent de l'indicatif — 80
6.2 L'impératif affirmatif et négatif — 82
6.3 Le futur proche et le futur simple — 84
6.4 Le passé composé (1) — 86
6.5 Le passé composé (2) — 88
6.6 L'imparfait — 90
6.7 Se situer dans le temps — 92
6.8 Bilan — 94

7. LA CONSTRUCTION DE LA PHRASE — 95

7.1 Les différents types de phrases — 96
7.2 La phrase interrogative (1) — 98
7.3 La phrase interrogative (2) — 100
7.4 La phrase négative (1) — 102
7.5 La phrase négative (2) — 104
7.6 La place de la négation — 106
7.7 Les relations logiques — 108
7.8 Bilan — 110

8. SE SITUER DANS L'ESPACE — 111

8.1 La destination, la situation géographique et la provenance — 112
8.2 Les autres prépositions de lieu — 114
8.3 Se situer et s'orienter — 116
8.4 Bilan — 118

BILAN FINAL — 119

CONJUGAISON — 125

CONSTRUCTION DES VERBES — 129

CORRIGÉS — 133

TRANSCRIPTIONS — 139

INDEX — 142

1 LES PRONOMS, LES NOMS ET LES ADJECTIFS

Les pronoms, les noms et les adjectifs permettent de parler de soi et des autres, de nommer les personnes et les choses, de décrire et de comparer.

1. Les pronoms personnels sujets :
je, tu, il, elle, on, nous, vous, ils, elles

2. Les pronoms toniques :
moi, toi, lui, elle, nous, vous, eux, elles

3. Les noms (1).
Noms propres et noms communs.
Le genre des noms communs : masculin, féminin

4. Les noms (2).
Le nombre des noms communs : singulier, pluriel

5. Les présentatifs :
il y a / c'est

6. Les adjectifs qualificatifs (1).
Le genre des adjectifs qualificatifs : masculin, féminin

7. Les adjectifs qualificatifs (2).
Le nombre des adjectifs qualificatifs : singulier, pluriel
L'accord des adjectifs qualificatifs
La place des adjectifs qualificatifs

8. Les comparatifs :
plus, aussi, moins... que
plus de, autant de, moins de

9. Les superlatifs :
le plus, le moins

10. Bilan

Moi, j'adore le soleil ! Et toi ?

LES PRONOMS, LES NOMS ET LES ADJECTIFS

1.1 Les pronoms personnels sujets

Forme

		singulier	pluriel
1re personne		je	nous
2e personne		tu	vous
3e personne	masculin	il	ils
	féminin	elle	elles
	indéfini	on*	

Emplois

Les pronoms personnels sujets sont obligatoires devant les verbes conjugués (sauf à l'impératif).

> *Je suis italien.*
> *Elles habitent au Canada.*
> *On va au cinéma ce soir ?*
> *Viens ! Écoute !*

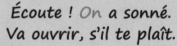

Ils sont toujours à côté du verbe. Entre le pronom sujet et le verbe, on peut mettre seulement **ne** (*il ne mange pas de fromage*) ou **un pronom complément** (*je le connais, je lui parle souvent*).

Les pronoms sujets *tu* et *vous*

Le pronom sujet **vous** peut avoir une valeur de singulier (*le **vous** de politesse*) ou une valeur de pluriel.

> *Bonjour, madame. Vous allez bien ?* (**vous** = une dame ➜ **vous** de politesse)
> *Alors, les enfants, vous venez ?* (**vous** = les enfants ➜ **vous** pluriel)

Au singulier, on utilise **tu** pour parler aux personnes de la famille, aux amis proches, aux enfants.

> *Papa, tu viens avec moi ?*

Et on utilise **vous** pour parler à quelqu'un qu'on ne connaît pas ou pas beaucoup.

> *Pardon, monsieur, vous pouvez m'aider, s'il vous plaît ?*

Le pronom sujet *on*

! *****On** est toujours suivi d'un verbe à la 3e personne du singulier.
> *On va jouer au foot tous ensemble ?*

Écoute ! On a sonné. Va ouvrir, s'il te plaît.

Les valeurs du pronom **on** :

- **on** = **nous**, dans la langue familière
  > *Laura et moi, on est dans la même classe.*

- **on** = les gens, en général
  > *Au Canada, on parle anglais et français.*

- **on** = quelqu'un
  > *On m'appelle ? Qui est-ce ?*

A1 **1** Complète avec le pronom sujet qui convient.

a. .... êtes italienne ?

b. .... suis votre nouveau voisin.

c. .... avez quel âge ?

d. .... étudions le français.

e. .... est allemand.

f. .... sont très gentilles.

 A1 **2** Dans les phrases suivantes, le *vous* est un *vous de politesse* ou un *vous pluriel* ? Écoute et coche la bonne réponse.

VOUS	a	b	c	d	e	f
de politesse	✓					
pluriel						

A1 **3** Entoure la forme correcte.

a. Pardon, madame. Je cherche la rue de Rome. Tu peux / Vous pouvez me dire où elle est, s'il te plaît / s'il vous plaît ?

b. Evan, mon chéri, tu peux / vous pouvez m'aider, s'il te plaît / s'il vous plaît ?

c. - Bonjour, monsieur. Qu'est-ce que tu veux / vous voulez boire ?

   - Tu peux / vous pouvez m'apporter un capuccino, s'il te plaît / s'il vous plaît ?

d. - Monsieur, tu peux / vous pouvez m'aider à traverser la rue ?

   - Non ! Tu as / vous avez six ans et tu peux / vous pouvez très bien le faire tout seul !

A2 **4** Dans les phrases suivantes, *on* correspond à quoi ? Coche la bonne réponse.

	nous	les gens	quelqu'un
a. Tu viens ? On va à la piscine.	✓		
b. Tiens ! On a laissé un paquet devant la porte.			
c. Pierre et moi, on se connaît depuis deux ans.			
d. En Suède, on dîne plus tôt qu'en France.			
e. On m'a dit que tu pars vivre en Angleterre ?			

A2 **5** Remplace *nous* par *on* dans ce texte.

Mario et moi, nous sommes amis depuis l'école maternelle. Nous habitons dans le même quartier et nous aimons les mêmes choses : le foot, le vélo et les jeux vidéo. Pendant les vacances, nous allons ensemble à la campagne chez mon oncle. Nous construisons des cabanes, nous jouons au foot... Quelquefois, nous pouvons même conduire son tracteur ! Nous sommes vraiment comme des frères !

1.2 Les pronoms toniques

Forme

		singulier	pluriel
1re personne		moi	nous
2e personne		toi	vous
3e personne	masculin	lui	eux
	féminin	elle	elles

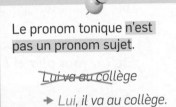

Le pronom tonique n'est pas un pronom sujet.

~~Lui va au collège~~

→ *Lui, il va au collège.*

Emplois

On utilise les pronoms toniques :

- pour renforcer le sujet
  Moi, j'habite à Gênes.
  Et vous, vous habitez où ?

- pour remplacer le pronom sujet quand le verbe est sous-entendu
  - *Qui fait les courses ce soir ? Toi ?*
  - *Ah non ! Pas moi ! C'est ton tour !*

- après **c'est** pour présenter ou identifier quelqu'un
  - *Allô, bonjour, c'est moi, Charles.*
  - *Ah, c'est toi ! Salut !*

Voir les présentatifs, p. 16

- après **et**, **ou**, **ni**
  Elle et moi, on se connaît bien.
  Les responsables, ce ne sont ni vous ni moi, ce sont eux !

- après un comparatif
  Je suis beaucoup plus fort que toi !

- après une préposition :
  à, **de**, **avec**, **sans**, **pour**, **chez**...
  - *C'est ta voiture ?*
  - *Non, elle n'est pas à moi, elle est à mon père.*
  Ils sont rentrés chez eux.

Moi aussi, moi non plus

Dans les deux cas, on partage l'opinion de quelqu'un (on est d'accord avec quelqu'un).

- phrase affirmative → **moi aussi**
- phrase négative → **moi non plus**
  - *Je n'aime pas faire du vélo. Et toi ?*
  - *Moi non plus.*

Moi-même, toi-même

L'adjectif **même** sert à renforcer le pronom tonique.
- *Pierre, tu as réparé ton ordinateur toi-même ? (→ tout seul)*
- *Non, mon père m'a aidé.*

J'aime bien faire du skate. Et toi ?

Moi aussi. J'adore ça !

A1 **1** **Écris le pronom tonique que tu entends. Attention à g, il y a deux pronoms toniques.**

	a	b	c	d	e	f	g	h
pronom tonique	*moi*							

A1 **2** **Réponds avec le pronom tonique qui convient.**

a. Ta meilleure copine, c'est Katarina ? → Oui, c'est _____ .

b. Qui a appelé ce matin ? C'est toi ? → Oui, c'est _____ .

c. Ce sont tes grands-parents, là, sur la photo ? → Oui, ce sont _____ .

d. Qui fait le ménage en général ? C'est toi ? → Non, ce n'est pas _____ , c'est Ellen.

e. - On invite Erwan à la fête ?

   - Ah non, pas _____ ! Je le déteste !

A1 **3** **Complète avec le pronom tonique qui convient.**

- Tu habites chez ton père ?

- Non, j'habite avec ma mère mais je vais chez _____ le week-end.

- Et ta sœur, elle habite avec qui ?

- _____ , elle a vingt-deux ans, elle habite avec son copain. Ils habitent à Paris.

  Je vais chez _____ à Noël. Et _____ , tu vas où ? Tu pars avec tes parents ?

- Non, cette année, je ne pars pas avec _____ , je fais un stage de foot avec des copains.

A1 **4** **Réponds avec le pronom tonique qui convient.**

- Sur la photo, à gauche, c'est ton frère Louis ?

- Oui, c'est _____ .

- Il te ressemble. Il est blond, comme _____ .

- Oui, mais _____ , j'ai les yeux bleus, et _____ , il a les yeux noirs.

- Et derrière, c'est ta soeur ?

- Oui, c'est Ophélie. _____ , elle ressemble à notre mère. Elle est brune, comme _____ .

A1 **5** **Réponds avec *aussi* ou *non plus*.**

a. - Je ne connais pas le Japon. Et toi ?

   - Moi _____ , je ne connais pas du tout ce pays.

b. - Cette année, mes parents ne prennent pas de vacances. Et tes parents ?

   - Mes parents _____ , ils ont trop de travail.

c. - Ma sœur est au lycée. Et ta sœur ?

   - Elle _____ , elle est en dernière année.

A2 **6** **Entoure la bonne réponse.**

- Délicieux, ce gâteau ! Il vient de quelle pâtisserie ?

- Mais non ! Je fais les gâteaux moi-même / toi-même / lui-même ! Et toi, tu fais des gâteaux ?

- Moi, non. Mais ma mère fait toute la cuisine moi-même / toi-même / elle-même.

LES PRONOMS, LES NOMS ET LES ADJECTIFS

1.3 Les noms (1)

Noms propres et noms communs

Il y a deux sortes de noms : les noms propres et les noms communs.

- On utilise le nom propre pour désigner quelque chose d'unique (*Francesca Renais, Paris, le Brésil, la Belgique, le Colisée, la Seine, les Alpes, monsieur Martin...*). Il prend une majuscule.

- On utilise le nom commun pour désigner des personnes (*un médecin, une chanteuse*), des animaux (*un chien, une souris*), des objets (*un vélo, une voiture*), ou quelque chose d'abstrait (*le courage, la confiance*).

Le genre des noms communs : masculin, féminin

A. Les noms de personnes ou d'animaux sont masculins ou féminins selon leur sexe.

un homme, une femme ~ un père, une mère ~ un fils, une fille ~ un chat, une chatte

> **règle générale**
> - Pour former le féminin d'un nom, on ajoute un **-e** au masculin.
> *un ami, une amie ~ un cousin, une cousine ~ un Français, une Française*

- souvent, on double la consonne
  un musicien, une musicienne ~ un Italien, une Italienne ~ un chat, une chatte

- les masculins en **-eur** ont un féminin en **-euse**
  un chanteur, une chanteuse ~ un danseur, une danseuse

- les masculins en **-teur** ont presque toujours un féminin en **-trice**
  un directeur, une directrice ~ un acteur, une actrice

> **!**
> - Certains noms (souvent des noms de métier) ont la même forme au masculin et au féminin. C'est l'article qui fait la différence.
>   *un élève, une élève ~ un artiste, une artiste ~*
>   *un secrétaire, une secrétaire ~ un journaliste, une journaliste*
> - Certains noms de métier (*médecin, ingénieur, mannequin...*) n'ont pas de féminin.
>   *Monique est un excellent médecin. ~ Kate Moss est un mannequin célèbre.*

B. Les noms de choses peuvent être masculins ou féminins. Il n'y a pas de règle.
une chaise / un fauteuil ~ une école / un collège ~ une rivière / un fleuve

Mais quelquefois, la terminaison indique le genre du nom :

- sont masculins les noms terminés par : **-ment**, **-age**, **-al**, **-eau**, **-teur**
  un appartement, un médicament, un voyage, un fromage (mais une image, une page), un animal, un journal, un cadeau, un gâteau, un ordinateur, un moteur

- sont féminins les noms terminés par : **-ance** ou **-ence**, **-ette**, **-sion**, **-tion**, **-xion**, **-té**, **-ure**
  une connaissance, une différence (mais un silence), une bicyclette, une fourchette, une télévision, une nation, une société, une publicité, une aventure, une voiture

Les mots **personne**, **star**, **victime** sont toujours au féminin.

> *Théo est une personne merveilleuse.*
> *Leonardo di Caprio est une star très connue.*

12 douze

A1 **1** **Mets une majuscule quand c'est nécessaire.**

a. nicolas et ses parents ont visité rome l'année dernière.

b. ils ont visité le colisée, le musée du vatican et d'autres endroits très intéressants.

c. moi, je suis allé à paris, j'ai passé une semaine chez mes copains greg et karen.

d. adèle est une chanteuse célèbre. elle est née à londres en 1988.

A1 **2** **Qu'est-ce que tu entends ?** *Un* **ou** *une* **? Complète.**

a. _____ artiste
b. _____ journal
c. _____ amie

d. _____ voisine
e. _____ copine
f. _____ Italien

g. _____ Japonais
h. _____ Belge
i. _____ Anglais

j. _____ Iranienne
k. _____ élève
l. _____ pays

A1 **3** **Entoure les noms féminins.**

traducteur   directrice   chanteur   danseuse   étudiant

boulanger   serveuse   pharmacienne   avocat   actrice

coiffeuse   pâtissière   musicienne   collégien   infirmière

A1 **4** **Mets** *un* **devant les noms masculins et** *une* **devant les noms féminins. Vérifie dans le dictionnaire.**

_____ réalisatrice
_____ serveuse
_____ coiffeur
_____ boulangère
_____ chirurgien

_____ bâtiment
_____ réflexion
_____ carnaval
_____ passion
_____ garage

_____ chapeau
_____ chaussure
_____ radiateur
_____ téléphone
_____ professeur

A2 **5** **Mets au féminin.**

a. Il est serveur. ➜ Elle est _____ .

b. Il est pharmacien. ➜ Elle est _____ .

c. Il est pâtissier. ➜ Elle est _____ .

d. Il est ministre. ➜ Elle est _____ .

e. Il est vendeur. ➜ Elle est _____ .

A2 **6** **Point orthographe ! Le son** [o] **à la fin d'un mot peut s'écrire** *-eau, -o, -os, -ot.* **Complète les noms suivants et vérifie ensuite l'orthographe dans le dictionnaire.**

a. Il porte un chap_____ et un mant_____ noirs.

b. Vous avez un styl_____ ?

c. Tu m'envoies un text_____ demain ?

d. J'ai fait du vél_____ hier, et aujourd'hui, j'ai mal au d_____ .

e. Tu veux un fruit ? Une pomme ? Un abric_____ ?

LES PRONOMS, LES NOMS ET LES ADJECTIFS

1.4 Les noms (2)

Le nombre des noms communs : singulier, pluriel

règle générale

● Pour former le pluriel d'un nom on ajoute un **-s** au singulier.
un ami, des amis ~ un livre, des livres ~ un élève, des élèves
une voiture, des voitures ~ une lettre, des lettres ~
une fille, des filles

La liaison est obligatoire devant une voyelle ou un **h** muet.
des amis   des élèves   des histoires
[z]   [z]   [z]

Cas particuliers

● Les noms terminés par **-s**, **-x** ou **-z** ont la même forme au singulier et au pluriel.
un Français, des Français ~ un bras, des bras
un choix, des choix ~ une voix, des voix
un gaz, des gaz ~ un nez, des nez

Le **-s** et le **-x** final ne se prononcent jamais.

● Les noms terminés par **-eau** ou **-eu** ont un pluriel en **-eaux**, **-eux**.
un gâteau, des gâteaux ~ un bateau, des bateaux ~
un manteau, des manteaux ~ un cheveu, des cheveux

● Les noms terminés par **-al** ou **-ail** ont en général un pluriel en **-aux**.
un animal, des animaux
un travail, des travaux

Exceptions :
des festivals
des carnavals

● Un pluriel très irrégulier : *un œil, des yeux.*
Elle a des yeux différents : un œil bleu et un œil marron.

● *Monsieur → Messieurs / Madame → Mesdames*
Mesdames, messieurs, bonjour !

J'ai trois enfants :
deux garçons
et une fille.

Monsieur Dumas est un monsieur très sympathique.
Madame Vincent est une dame très sympatique.

★ A1 **1** **Mets au pluriel.**

a. un homme ➜ des _____   **f.** un pays ➜ des _____

b. un prix ➜ des _____   **g.** un cinéma ➜ des _____

c. un café ➜ des _____   **h.** un festival ➜ des _____

d. un collégien ➜ des _____   **i.** un hôpital ➜ des _____

e. un journal ➜ des _____   **j.** un Polonais ➜ des _____

★ A1 **2** **Mets au singulier.**

a. des tableaux ➜ un _____   **f.** des messieurs ➜ un _____

b. des chevaux ➜ un _____   **g.** des jeux ➜ un _____

c. des enfants ➜ un _____   **h.** des fils ➜ un _____

d. des noix ➜ une _____   **i.** des Italiennes ➜ une _____

e. des Anglais ➜ un _____   **j.** des Chinois ➜ un _____

★ A2 **3** **Complète avec les noms suivants.**

> un bras   un fils   les messieurs   le mois
>
> les journaux   des travaux   une voix   des cadeaux

a. Vous lisez souvent _____ ?

b. Il a eu un accident : il a _____ cassé !

c. S'il vous plaît, les dames d'abord et _____ après !

d. Juin est _____ que je préfère.

e. Il y a _____ dans l'immeuble.

f. Elle a _____ magnifique et elle adore chanter.

g. Tu lui as offert _____ ?

h. Il a _____ qui s'appelle Hector.

★ A2 **4** **Regarde ces deux dessins et complète la description.**

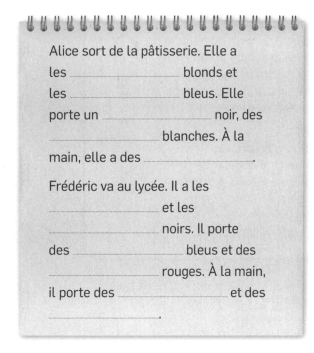

Alice sort de la pâtisserie. Elle a
les _____ blonds et
les _____ bleus. Elle
porte un _____ noir, des
_____ blanches. À la
main, elle a des _____.

Frédéric va au lycée. Il a les
_____ et les
_____ noirs. Il porte
des _____ bleus et des
_____ rouges. À la main,
il porte des _____ et des
_____.

LES PRONOMS, LES NOMS ET LES ADJECTIFS

1.5 Les présentatifs

Il y a

Pour dire que quelqu'un ou quelque chose est là, existe, on utilise la forme impersonnelle **il y a** + singulier ou pluriel.

> *Regarde, il y a un homme bizarre devant la maison.*
>
> *En France, il y a 65 millions d'habitants.*
>
> - *Pour le dessert, il y a un gâteau ?*
> - *Non, il n'y a pas de gâteau mais il y a des fruits.*

C'est / Ce sont

- Pour identifier quelqu'un ➔ **Qui est-ce ?** (en français familier : *Qui c'est ?*)
  Réponse : **C'est** + nom de personne singulier ou pronom tonique
  Ce sont + nom de personne pluriel ou pronom tonique

  > - *Dring, dring... Bonjour.*
  > - *Oui. Qui est-ce ? C'est toi, Zoé ?*
  > - *Non, c'est le facteur. J'apporte un colis.*
  >
  > - *Qui c'est, là, sur la photo ?*
  > - *Ce sont mes cousins d'Australie.*

- Pour identifier quelque chose ➔ **Qu'est-ce que c'est ?**
  Réponse : **C'est** + nom de chose singulier
  Ce sont + nom de chose pluriel

  > - *Qu'est-ce que c'est, ce truc ?* (français familier, *truc* ➔ cette chose)
  > - *C'est un chapeau parapluie.*
  > - *Et ça, qu'est-ce que c'est ?*
  > - *Ce sont des bottes de pêche !*

> ~~Il est~~ mon oncle. ➔
> *C'est mon oncle.*
>
> ~~Ils sont~~ des Polonais. ➔
> *Ce sont des Polonais*
> ou *Ils sont polonais.*

C'est ma petite soeur.

> **!** Attention à ne pas confondre : **c'est** et **il est**
> - Singulier:
>   **C'est** + nom ou pronom
>   **Il est** + adjectif ou nom de nationalité
>   ou de profession (sans article)
>   > *C'est mon oncle François.*
>   > *C'est lui qui a une maison en Corse.*
>   > *Il est chauffeur de taxi. Il est italien.*
>
> - Pluriel :
>   **Ce sont** + nom ou pronom
>   **Ils sont** + adjectif ou nom de nationalité
>   ou de profession (sans article)
>   > *Ce sont nos voisins.*
>   > *Ils sont polonais.*
>   > *Ils sont très aimables.*

- Pour exprimer l'opinion, commenter. ➔ **C'est** + adjectif masculin singulier.
  > *C'est dur, les maths !*

A1 **1** **Dans la chambre de Mathieu, qu'est-ce qu'il y a ?**

_____
_____
_____
_____
_____
_____

A1 **2** *Qui est-ce ? ou Qu'est-ce que c'est ?*

a. _____ ? ➜ Ce sont les copains de Jeanne.

b. _____ ? ➜ C'est un journaliste célèbre.

c. _____ ? ➜ C'est ma clé USB.

d. _____ ? ➜ Ce sont des bonbons au chocolat.

e. _____ ? ➜ C'est moi !

f. _____ ? ➜ C'est mon nouveau téléphone.

g. _____ ? ➜ C'est une surprise !

A1 **3** **Complète avec *C'est ou Il est / Elle est.***

a. _____ Anita Jacquart. _____ mon amie depuis l'école maternelle. _____ dans la même classe que moi. _____ une excellente élève, _____ est bonne dans toutes les matières.

b. - Qui est ce monsieur tout en noir ? Tu le connais ?

- Oui, _____ le nouveau prof de gym. _____ champion de boxe.

- Ah bon ! _____ dangereux !

- Mais non ! _____ doux comme un agneau. Et _____ très amusant, il adore rire !

c. _____ américaine. _____ une actrice célèbre, née en 1975. _____ mariée et elle a six enfants. Qui est-ce ? _____ ...

A1 **4** **Complète avec l'adjectif qui convient comme dans l'exemple.**

(~~immense~~) (cher) (beau) (fatigant) (haut) (interdit) (long) (intéressant) (petit)

La Russie, c'est *immense* : 17 millions de km^2.

a. Les chiens dans les magasins, c'est absolument _____.

b. - Les soldes, c'est toujours _____, non ?

- Oui, on fait des affaires, c'est vrai mais c'est très _____ : je suis morte !

c. Cette croisière est formidable, c'est vrai, mais deux mois, c'est _____ !

d. Il habite au 16e étage. Seize étages, c'est trop _____ pour moi, j'ai le vertige.

e. - La principauté de Monaco, c'est _____. 2 km^2 !

- Oui, c'est minuscule, bien sûr, mais c'est très _____ avec la mer, le soleil, les palmiers...

- Et c'est aussi très _____. Il faut être richissime pour y habiter.

LES PRONOMS, LES NOMS ET LES ADJECTIFS

1.6 Les adjectifs qualificatifs (1)

L'adjectif qualificatif donne des informations sur un nom commun.
Il caractérise quelqu'un ou quelque chose :

un manteau, un long *manteau* noir

Il s'accorde en genre et en nombre avec le nom qu'il qualifie :

un beau *garçon, une* belle *fille ~ des livres* neufs*, des chaussures* neuves

Le genre des adjectifs qualificatifs : masculin, féminin

règle générale

- Pour former le féminin d'un adjectif, on ajoute un **-e** au masculin.
  Il est brun, elle est brune. ~ Il est petit, elle est petite.

- Quelquefois, la prononciation du masculin et du féminin est la même mais l'orthographe change.
  - masculin en **-e**, **-i** et **-u** ➜ *fatigué/fatiguée ~ joli/jolie ~ bleu/bleue*
  - masculin en **-ct** ➜ *direct/directe ~ correct/correcte*
  - masculin en **-r** ➜ *dur/dure*
  - masculin en **-al** ou **-ol** ➜ *général/générale ~ espagnol/espagnole*

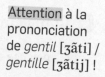

Attention :
Il est turc. ➜
Elle est turque.
Il est grec. ➜
Elle est grecque.

- Souvent, au féminin, on entend la consonne finale.
  - [ʃ] *un pantalon blanc* [blɑ̃] / *une chemise blanche* [blɑ̃ʃ]
  - [d] *il est grand* [gʀɑ̃] / *elle est grande* [gʀɑ̃d]
  - [ɛʀ] *le premier jour* [pʀəmje] / *la première semaine* [pʀəmjɛʀ]
  - [s] *il est gros* [gʀo] / *elle est grosse* [gʀos]
  - [t] *il est fort* [fɔʀ] / *elle est forte* [fɔʀt]
  - [z] *il est français* [fʀɑ̃sɛ] / *elle est française* [fʀɑ̃sɛz]

- Si l'adjectif masculin se termine par **-e**, la forme est identique au féminin.
  Il est tranquille, elle est tranquille.

Cas particuliers

- Souvent, on double la consonne finale pour former le féminin.
  *bon, bon*ne *~ traditionnel, traditionnel*le

- Si le masculin se termine par **-er**, le féminin est en **-ère**.
  *le premier, la premi*ère *~ cher, ch*ère

- Souvent, la consonne ou la syllabe finale change au féminin.
  -eau ➜ **-elle** (*il est b*eau*, elle est b*elle*),* **-eur** ➜ **-euse** (*il est travailleur, elle est travaill*euse*),* **-eux** ➜ **-euse** (*il est heur*eux*, elle est heur*euse*),* **-f** ➜ **-ve** (*il est négati*f*, elle est négati*ve*),* **-ou** ➜ **-olle** (*il est f*ou*, elle est f*olle*),* **-oux** ➜ **-ouce, -ouse, -ousse** (*il est d*oux*, elle est d*ouce *~ il est jal*oux*, elle est jal*ouse *~ il est r*oux*, elle est r*ousse*)*

Attention à la prononciation de *gentil* [ʒɑ̃ti] / *gentille* [ʒɑ̃tij] !

! Les adjectifs **beau**, **nouveau**, **vieux** ont deux formes au masculin singulier si le nom qui suit commence par une voyelle ou un **h** muet, et ils se placent avant le nom.
beau ➜ **bel**   *C'est un très* bel *objet.*
nouveau ➜ **nouvel**   *Carlos est un* nouvel *élève.*
vieux ➜ **vieil**   *Il habite dans un* vieil *appartement.*

1 Écoute et classe ces adjectifs en trois catégories :
masculin, féminin ou "on ne sait pas".

petit(e)   blond(e)   brun(e)   gros(se)   tranquille   vieux/vieille   nouveau/nouvelle

beau/belle   aimable   espagnol(e)   difficile   allemand(e)   bon(ne)   mauvais(e)

correct(e)   direct(e)   facile   fou/folle   jaloux/jalouse   sympathique   premier(e)

masculin	féminin	on ne sait pas
petit		

2 Mets au féminin.

a. Il est très actif. → Elle est _____ .

b. Un copain sympathique. → Une copine _____ .

c. Un ami brésilien. → Une amie _____ .

d. Un chanteur américain. → Une chanteuse _____ .

e. Un paysage magnifique. → Une photo _____ .

f. Un film chinois. → Une bande dessinée _____ .

g. Un bateau grec. → Une ville _____ .

3 Choisis l'adjectif qui convient. Mets-le au féminin si c'est nécessaire.

bleu   sportif   grand   gentil   roux   champion   jolie

Ma voisine Nancy est très _____ , tout le monde l'aime beaucoup.
C'est une _____ fille avec des cheveux _____ et des yeux
_____ . Elle est très _____ (1,82 m) et très _____ :
tennis, natation, vélo, jogging... Elle aime tous les sports. Et surtout le basket ! Elle est
_____ de l'équipe de France junior.

4 Entoure la forme correcte.

a. Il habite dans un beau / bel / belle appartement dans un vieux / vieil / vieille quartier.

b. Max, le nouveau / nouvel / nouvelle élève de notre classe, est très beau / bel / belle.

c. Marta m'a montré la photo de son nouveau / nouvel / nouvelle amoureux.
   C'est un beau / bel / belle homme de 30 ans.

d. Voici Bernard, un vieux / vieil / vieille ami. Il a trouvé un nouveau / nouvel / nouvelle
   travail juste à côté de chez moi. C'est pour ça qu'il a déménagé. Sa nouveau / nouvel /
   nouvelle maison est très sympa.

1.7 Les adjectifs qualificatifs (2)

Le nombre des adjectifs qualificatifs : singulier, pluriel

règle générale

- Pour former le pluriel d'un adjectif, on ajoute un **-s** au singulier.
  Il est grand et fort, ils sont grands et forts.

Cas particuliers

- Si l'adjectif masculin se termine par **-s** ou **-x**, c'est la même forme au masculin pluriel. *(Il est malheureux, ils sont malheureux.)*
- Si l'adjectif masculin se termine par **-al**, le masculin pluriel se termine presque toujours en **-aux**.
  (un problème international, des problèmes internationaux.)
- Si l'adjectif masculin se termine par **-eau**, le masculin pluriel se termine par **-eaux**. *(Il est beau, Ils sont beaux.)*

Les cas particuliers concernent seulement les adjectifs masculins. Tous les adjectifs féminins suivent la règle générale.

L'accord des adjectifs qualificatifs

règle générale

- L'adjectif s'accorde en genre (masculin/féminin) et en nombre (singulier/pluriel) avec le nom qu'il qualifie.
  J'ai deux bons copains et deux bonnes copines.
- S'il y a un nom masculin et un nom féminin, l'adjectif est au masculin pluriel.
  Mon frère et ma sœur sont blonds comme ma mère.

Cas particuliers

- Certains adjectifs de couleur ne s'accordent pas.
  des yeux marron, des chaussures orange
- Les adjectifs de couleur composés ne s'accordent pas.
  des cheveux blond clair, une veste bleu marine

La place des adjectifs qualificatifs

- Sont toujours après le nom :
  - les adjectifs de couleur
    des cheveux bruns
  - les adjectifs de nationalité
    un film italien
  - les adjectifs de forme
    une tour ronde
  - les adjectifs suivis d'un complément
    une histoire difficile à croire

- Sont en général après le nom :
  - les adjectifs longs
    une fille sympathique
- Sont toujours avant le nom :
  - les adjectifs ordinaux : *premier, deuxième, centième, dernier...*
- Sont en général avant le nom :
  - certains adjectifs courts et fréquents : *bon, mauvais*

Certains adjectifs changent de sens selon leur place :
un homme grand (2 mètres) / un grand homme (célèbre)
un brave homme (sympatique) / un homme brave (courageux)
un seul élève (unique) / un élève seul (isolé)
ma propre mère (la mienne) / ma chemise propre (pas sale)

1 Mets au pluriel.

Il est japonais ➜ Ils sont *japonais*.

a. Elle est gentille. ➜ Elles sont _____ .

b. Un livre intéressant. ➜ Des livres _____ .

c. Il est vieux. ➜ Ils sont _____ .

d. Une amie russe. ➜ Des amies _____ .

e. Un film génial. ➜ Des films _____ .

f. Il est gros. ➜ Ils sont _____ .

g. Il est heureux. ➜ Ils sont _____ .

2 Mets ce texte au pluriel.

a. Marc est grand et blond. Il est jeune et très sympathique.

➜ Marc et Olivier sont _____ .

b. Peter est anglais, il est petit et roux.

➜ Elizabeth et son frère Peter sont _____ .

c. Frank est un copain français. Il est très amoureux, très heureux.

➜ Frank et Elisa sont des copains _____ .

d. Dick est danois. Il est blond et mince.

➜ Dick et sa sœur Fran sont tous les deux _____ .

3 Place l'adjectif (ou les adjectifs) à la bonne place. Accorde-le(s) avec le nom.

Il a une voiture.   (beau) ➜ Il a une *belle* voiture.

a. Il a une voiture. (vieux) (américain) ➜ _____ .

b. Elle a acheté une veste. (beau) (bleu marine) ➜ _____ .

c. J'ai vu un film. (intéressant) ➜ _____ .

d. Ioanna est une copine. (bon) (grec) ➜ _____ .

e. C'est mon dictionnaire. (premier) (français) ➜ _____ .

4 Mets la phrase dans l'ordre. Attention à la place des adjectifs.

a. Elle – chaussures – belles – a acheté – des – noires

b. Il – maison – grande – habite – dans – blanche – une

c. Où – ta – as-tu acheté – tablette – japonaise – nouvelle ?

d. Son – beaux – verts – copain – de – a – yeux

a. _____

b. _____

c. _____

d. _____

LES PRONOMS, LES NOMS ET LES ADJECTIFS

1.8 Les comparatifs

Forme

Il y a trois sortes de comparatifs :

A. Le comparatif de supériorité **+** :

- **plus** + adjectif ou adverbe + **que**
- **plus de** + nom + **que**
  Manuela est plus <u>sportive</u> que Lucas.
  Elle court plus <u>vite</u> que lui.
  Elle a plus d'<u>entraînement</u> que lui.

B. Le comparatif d'égalité **=** :

- **aussi** + adjectif ou adverbe + **que**
- **autant de** + nom + **que**
  L'appartement est aussi <u>grand</u> que la maison.
  Il coûte aussi <u>cher</u> que cette maison.
  Il a autant de <u>pièces</u> que la maison.

On peut dire aussi :
Ils ont la même taille, ils coûtent le même prix, ils ont le même nombre de pièces.

C. Le comparatif d'infériorité **−** :

- **moins** + adjectif ou adverbe + **que**
- **moins de** + nom + **que**
  Le livre bleu est moins <u>gros</u> que le livre noir.
  Le livre bleu coûte moins <u>cher</u> que le livre noir.
  Le livre bleu a moins de <u>photos</u> que le livre noir.

Emplois

On compare :

- les formes, les qualités, les capacités de deux personnes ou de deux choses *(Elle est plus grande que moi.)*
- les quantités *(plus de photos, autant de photos, moins de photos)*

En français, le second terme de la comparaison est introduit par **que** et non par **de**.
Il est plus petit de son frère. → *Il est plus petit que son frère.*

> **!** Comparatif irrégulier :
>
> - ~~plus bon que~~ → **meilleur que**
>   *Les pommes rouges sont meilleures que les vertes.*
> - ~~plus bien que~~ → **mieux que**
>   *Il travaille mieux que toi ou moins bien que toi ?*
> - ~~plus mauvais que~~ → **pire que** ou **moins bon que**
> - ~~plus mal que~~ → **pire que** ou **moins bien que**

◁)) ★A2 **1** **Écoute et complète avec le comparatif qui convient.**

5

a. La Freedom Tower est _____ la tour ICC de Hong-Kong. `haute`

b. La ricotta est _____ le camembert. `calorique`

c. Mon nouveau smartphone est _____ le vieux. `puissant`

d. Les leggings noirs sont _____ que les gris. `cher`

★A2 **2** **Fais des phrases comme dans l'exemple. Attention à la phrase e.**

Natacha / courageuse / sa sœur ⊕ ➔ *Natacha est plus courageuse que sa sœur.*

a. La robe verte / jolie / la bleue ⊕ ➔ _____

b. Le prof de maths / sympa / celui d'histoire ⊜ ➔ _____

c. Mon père / sportif / ma mère ⊖ ➔ _____

d. Greg / paresseux / moi ⊕ ➔ _____

e. Tes notes / bonnes / celles de ton frère ⊕ ➔ _____

★A2 **3** **Complète avec le comparatif qui convient.**

a. **Nice = 345 000 habitants – 131 cafés / Nantes = 285 000 habitants – 165 cafés**
À Nice, il y a _____ habitants qu'à Nantes mais il y a _____ cafés.
À Nantes, il y a _____ cafés qu'à Nice mais il y a _____ habitants.

b. **Nombre de victoires au Mondial de foot : Brésil = 5 / Allemagne = 4 / Italie = 4**
Le Brésil a gagné _____ coupes du monde de foot que l'Allemagne.
L'Italie et l'Allemagne ont gagné _____ coupes du monde de foot.
L'Allemagne a gagné _____ coupes du monde de foot que le Brésil.

c. **Nombre de salles de cinémas : Paris = 431 / Marseille = 37**
À Paris, il y a beaucoup _____ cinémas qu'à Marseille.

★A2 **4** **Complète avec de plus ou de moins.**

À LOUER	À LOUER
Avenue Mozart (16ᵉ). Très bel appartement 75 m² 4 pièces - 2 salles de bains. 3 650 euros	Rue La Fontaine (16ᵉ). Superbe appartement 60 m². 3 pièces - 1 salle de bain. 2 650 euros

- Cet appartement est plus cher mais c'est normal, il mesure 15 m²
_____ que l'autre.
- D'accord mais il coûte mille euros _____ !
- C'est vrai mais l'appartement rue La Fontaine a une seule salle de bains
et une pièce _____ .
- Alors ? Qu'est-ce qu'on fait ?
- On cherche dans un autre quartier ! Le 16ᵉ arrondissement, c'est trop cher !

1.9 Les superlatifs

Forme

Le superlatif peut concerner :

- un adjectif
  - **le plus/la plus/les plus** + adjectif + **de**

    Quelles sont les villes les plus belles du monde ?

    À mon avis, Venise est la plus romantique de toutes les villes.

  - **le moins/la moins/les moins** + adjectif + **de**

    Et les capitales les moins polluées du monde ?

    Euh... Je crois qu'Helsinki est la moins polluée de toutes.

> Superlatifs irréguliers :
>
> - ~~le plus bon, la plus bonne~~ ➜ **le meilleur, la meilleure**
> - ~~les plus bons, les plus bonnes~~ ➜ **les meilleurs, les meilleures**
>
> - **le plus mauvais, la plus mauvaise** ou **le pire, la pire**
> - **les plus mauvais, les plus mauvaises** ou **les pires**
>   (les deux formes sont possibles)

- un adverbe
  - verbe + **le plus** + adverbe + **de**

    C'est Jimmy qui finit son travail le plus vite de tous.

  - verbe + **le moins** + adverbe + **de**

    D'accord mais c'est aussi lui qui travaille le moins bien de tous. Il travaille trop vite !

> Superlatifs irréguliers :
>
> - ~~le plus bien~~ ➜ le mieux
> - le moins bien ou le pire
>   (les deux formes sont possibles)

- un nom
  - **le plus de** + nom

    Qui a le plus de copains ? Toi ou moi ?

  - **le moins de** + nom

    Quel professeur a le moins de patience dans ton lycée ?

- un verbe + **le plus** / **le moins**

    Qui dort le plus ? Tom, il dort dix heures par nuit.

    Qui dort le moins ? Moi, je dors six ou sept heures.

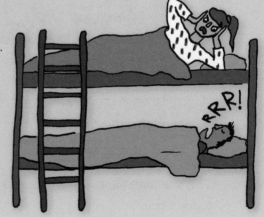

Emplois

On utilise le superlatif pour placer une personne ou une chose (un objet, un lieu, une idée...) tout en haut ou tout en bas d'un ensemble.

Anna est la plus belle de toutes les filles de la classe. (Elle est n°1 !)

Mais elle est aussi la moins sympathique.

6

A2 **1** Écoute et complète les quatre phrases.

Monica est

_____

sportive. C'est
aussi _____
grande des quatre
candidates.

Margaux est

_____

musicienne
de toutes ses
concurrentes.

Camille est

_____

grande de toutes.
C'est aussi
_____ jeune.

Hina est
_____ âgée.
Elle vient de Tahiti.
C'est elle qui habite
_____ loin
de la France.

A2 **2** Dans l'UE, il y a 28 pays, des grands, des petits... Cherche sur Internet
et coche la bonne réponse.

a. Le pays de l'Union européenne qui a le plus de kilomètres carrés est...

☐ l'Allemagne. ☐ l'Espagne. ☐ la France.

b. Le pays qui a le plus d'habitants est...

☐ l'Allemagne. ☐ la France. ☐ la Pologne.

c. Le pays qui a le moins de kilomètres carrés est...

☐ le Luxembourg. ☐ Chypre. ☐ Malte.

d. Le pays qui a le moins d'habitants est...

☐ Malte. ☐ le Luxembourg. ☐ l'Irlande.

A2 **3** Compare avec des superlatifs comme dans l'exemple.
Attention à la dernière phrase.

	Frère et sœurs	Copains facebook	Argent de poche
VANESSA	Un frère et deux sœurs	435	25 euros d'argent de poche par semaine
MARIANNE	Trois frères, pas de sœur	51	50 euros d'argent de poche par semaine
VICTOIRE	Pas de frère, pas de sœur	4	150 euros d'argent de poche par semaine

Vanessa a *le plus de copains* sur Facebook.

a. Vanessa a _____ par semaine.

b. Marianne a _____ mais pas de sœur.

c. Victoire a _____ sur Facebook.

d. Victoire a _____ par semaine.

A1 **1** **Complète avec le pronom qui convient.**

a. - Paul, Béa, Jim, _____ venez avec _____ ?

- D'accord. _____ allez où ?

- _____ va faire du vélo cross.

b. Léa et Victoria sont jumelles. _____ ont treize ans. Je _____ connais depuis longtemps.

c. En Suède, _____ dîne plus tôt qu'en Espagne ou en Italie. _____ mange vers 18 h.

d. - Qu'est-ce que _____ regardes ?

- Une émission sur les dinosaures. _____ veux _____ regarder avec moi ?

A1 **2** **Ces mots sont masculins, féminins ou c'est la même forme au masculin et au féminin ? Coche la bonne case.**

	masculin	féminin	même forme
a. directrice		✓	
b. gouvernement			
c. élève			
d. oiseau			
e. journaliste			

A2 **3** **Mets l'adjectif à la bonne place. Accorde-le avec le nom, si besoin.**

a. - Tu as eu une note à ton examen ? bon

- Non, j'ai eu une note. J'ai eu 5 sur 20. mauvais

b. C'est Angela, ma correspondante. allemand

c. Tu peux me donner ton ordinateur ? vieux

d. C'est un élève ; il vient de Belgique. nouveau

A2 **4** **Météo : le mois de janvier dans le monde. Compare et complète.**

JANVIER			
les Maldives	**Irkoutsk (Russie)**	**Bangkok (Thaïlande)**	**Assouan (Egypte)**
24°	-25°	21°	21°
3 jours	3 jours	1 jour	0 jour

a. Aux Maldives, il fait _____ chaud qu'en Thaïlande.

b. Il fait beaucoup _____ froid à Assouan qu'à Irkoutsk (46° de différence !).

c. Il y a _____ jours de pluie aux Maldives qu'à Irkoutsk.

d. Il fait _____ chaud à Assouan qu'à Bangkok, mais à Assouan, il pleut _____.

e. C'est à Irkoutsk qu'il fait _____ froid.

2 LES DÉTERMINANTS

Le déterminant et le nom forment le groupe nominal. Les déterminants sont toujours avant le nom commun. Ils donnent des précisions sur le nom et ils permettent souvent de savoir s'il est masculin ou féminin, singulier ou pluriel.

1. Les articles définis :
l', le, la, les

2. Les articles contractés :
au, à l', à la, aux

3. Les articles indéfinis :
un, une, des

4. Les articles partitifs :
du, de l', de la, des

5. Les adjectifs possessifs :
mon, ton, son / notre, votre, leur / mes, tes, ses / nos, vos, leurs

6. Les adjectifs démonstratifs :
ce, cet, cette, ces
Le pronom démonstratif *ça*

7. Bilan

Non, ce soir on mange des légumes.

Je voudrais de la viande...

LES DÉTERMINANTS

2.1 Les articles définis

Forme

	masculin	féminin
singulier	le (ou l')	la (ou l')
pluriel	les	

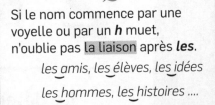

Si le nom commence par une voyelle ou par un **h** muet, n'oublie pas la liaison après **les**.

les amis, les élèves, les idées

les hommes, les histoires ....

- Quand le nom commence par une voyelle ou par un **h** muet, **le** et **la** deviennent **l'**.

  ~~le arbre~~ → *l'arbre*   ~~la orange~~ → *l'orange*

  ~~le hiver~~ → *l'hiver*   ~~la histoire~~ → *l'histoire*

- Quand le **h** est aspiré, **le** et **la** ne se transforment pas en **l'**.
  le haricot, la haine, la hauteur...

- Il y a une seule forme au pluriel : **les**.
  les arbres, les hivers, les oranges, les histoires...

Emplois

On utilise l'article défini pour parler :

- de quelque chose de général, une catégorie, une espèce
  Le lait, c'est bon pour la santé ! (Le lait en général.)
  Les chiens sont fidèles. (Les chiens en général.)

- de quelqu'un ou de quelque chose d'unique
  Nous allons visiter le Louvre demain. (Il y a un seul Louvre.)
  C'est la meilleure copine de Lola. (Elle a une seule « meilleure copine ».)

- de quelqu'un ou de quelque chose de déterminé par le contexte
  ou que tout le monde connaît
  Regarde la fille là, en face. Elle est très belle ! (On sait de qui on parle.)
  Passe-moi le sel, s'il te plaît. (Le sel qui est là, sur la table.)

- de quelque chose qu'on aime ou qu'on n'aime pas
  J'adore les frites, mais je déteste les carottes.

- de quelqu'un ou de quelque chose dont on a déjà parlé avant
  J'ai vu un film génial hier soir. Le film s'appelle La Planète des singes.
  Tu pars faire du ski en Suisse ? Quelle chance ! C'est le voyage de mes rêves.

- des noms ou des habitants d'une nation, d'un pays ou d'une région
  J'aime les Brésiliens, mais je préfère les Argentins. Surtout au foot. Pas toi ?
  Tu connais la Sardaigne ? Non, mais j'adore la Sicile. Et j'aime bien la Corse aussi.

- d'une date, d'un jour, d'une saison...
  Le 11 janvier, c'est mon anniversaire.
  Le lundi je me lève tôt. (tous les lundis)

🔊 7 ★A1 **1** Écoute. Tu entends *le* ou *les* ? Coche ce que tu entends.

	a	b	c	d	e	f	g	h	i	j	k	l
le												
les	✓											

★A1 **2** Complète avec *l'*, *le*, *la* ou *les*. Vérifie dans le dictionnaire.

a. _____ voiture
b. _____ appartement
c. _____ maison
d. _____ manteaux

e. _____ voyages
f. _____ solution
g. _____ ordinateur
h. _____ arbre

i. _____ hiver
j. _____ collège
k. _____ bureau
l. _____ professeurs

★A1 **3** Mets au singulier. Attention aux lettres *c*, *f* et *j*.

a. les amis ➜ _____
b. les hôpitaux ➜ _____
c. les printemps ➜ _____
d. les motos ➜ _____
e. les habitudes ➜ _____
f. les ours ➜ _____

g. les photos ➜ _____
h. les serpents ➜ _____
i. les bateaux ➜ _____
j. les pays ➜ _____
k. les animaux ➜ _____
l. les enfants ➜ _____

★A1 **4** Qu'est-ce que c'est ?

C'est _____

C'est _____

C'est _____

C'est _____

Ce sont _____

C'est _____

★A2 **5** Complète avec *le*, *la* ou *l'*. Vérifie dans ton dictionnaire si le *h* est muet ☑ ou non ☒.

a. _____ hache ☐
b. _____ hôtel ☐
c. _____ homme ☐

d. _____ héros ☐
e. _____ hasard ☐
f. _____ honneur ☐

g. _____ hall ☐
h. _____ honte ☐
i. _____ hibou ☐

vingt-neuf **29**

LES DÉTERMINANTS

2.2 Les articles contractés

Forme

- **à + la → à la**
  Papa est à la cuisine, il fait une pizza.

- **à + l' → à l'**
  Fanny part à l'école.

- **de + la → de la**
  Il a parlé de la Révolution française.

- **de + l' → de l'**
  Il nous a parlé de l'histoire de France.

Mais attention :

- **à + le → au**
  Ils vont au collège en bus.

- **à + les → aux**
  Elle va aux États-Unis.

- **de + le → du**
  C'est la guitare du professeur de musique.

- **de + les → des**
  C'est le bébé des voisins.

Tu vas **aux** Caraïbes ?

Non, je vais **au** Canada.

Emplois

En français, les prépositions **à** et **de** + les articles définis **le** et **les** forment un article contracté.
Avec les autres prépositions, il n'y a pas de contraction.

Ne confonds pas :
- **du**, article contracté (→ **de** + **le** : *C'est le bébé du voisin.*) et **du**, article partitif (*Tu veux du pain ?*)
- **des**, article contracté (→ **de** + **les** : *C'est la mère des enfants.*) et **des**, article indéfini (*Elle va voir des copains.*)

Voir les articles partitifs, p. 34

C'est le fils **du** docteur Leroux...

A1 **1** **Souligne les articles contractés.**

a. - Vous allez à la plage ou au cinéma ?

- Non, moi, je vais à la patinoire, et elle, elle préfère aller au stade.

b. Attends-moi ! Je vais aux toilettes avant de partir.

c. Il va au collège ou il est encore à l'école primaire ?

d. Je vous présente Susie, une copine du quartier.

e. Il faut donner son ticket à l'entrée du théâtre.

f. - Nina, c'est la fille des Beltramelli ?

- Nina ? Non, c'est l'amie du fils des Beltramelli.

 A2 **2** **Choisis la forme correcte.**

a. Romain, tu peux répondre au / à l' / à la question ?

b. Lima, c'est la capitale du / de l' / de la Pérou ou du / de l' / de la Brésil ?

c. Je vais chercher ma fille au / à l' / à la aéroport.

d. C'est le petit chien du / de l' / de la boulanger.

e. Tu n'as pas vu le sac du / de l' / de la amie de Fred ? Elle l'a perdu.

f. Le corrigé du / de l' / des exercices est à la fin du / de l' / de la livre.

 A2 **3** **Tu connais ta géographie ? Complète avec *du, de l', de la* ou *des* et le nom du pays comme dans l'exemple.**

Rome est la capitale *de l'Italie*.

a. Paris est la capitale _____.

b. Moscou est la capitale _____.

c. Washington est la capitale _____.

d. Berlin est la capitale _____.

e. Tokyo est la capitale _____.

f. Buenos Aires est la capitale _____.

 A1 **4** **Et ces drapeaux ? Écris le nom du pays : Irlande, Portugal, France, Belgique, Suède, Autriche.**

C'est le drapeau _____   C'est le drapeau _____   C'est le drapeau _____

C'est le drapeau _____   C'est le drapeau _____   C'est le drapeau _____

2.3 Les articles indéfinis

Forme

	masculin	féminin
singulier	un	une
pluriel	des	

- Si le nom masculin commence par une voyelle ou par un **h** muet, il faut faire la liaison.
  un enfant   un ours blanc   un homme

- Mais **une** ne devient jamais **un** devant une voyelle ou un **h** muet.
  une idée   une histoire

Emplois

On utilise l'article indéfini pour parler :

- de quelqu'un ou de quelque chose qu'on ne connaît pas encore ; on en parle pour la première fois
  J'ai acheté un nouveau portable.
  (J'annonce quelque chose, je parle de ce portable pour la première fois.)
  J'ai vu un beau film hier soir.
  (J'annonce quelque chose ; quel film ? On ne sait pas.)

- de quelqu'un ou de quelque chose qui est pris comme un élément parmi d'autres
  Pierre ? C'est un copain de Mathis.
  (Mathis a d'autres copains, c'est un copain parmi d'autres.)

Un, **une** peut aussi être un adjectif numéral (→ 1).
On a tous un père (→ 1). et une mère (→ 1).

Mais :

Il a des copains. (Combien ? On ne sait pas.)

L'article défini et l'article indéfini

- Au pluriel, quand l'adjectif est avant le nom, **des → de**.
  Elle a des yeux magnifiques.   Elle a de beaux yeux.

- À la forme négative, **un**, **une**, **des → pas de**.
  - Tu as des frères et sœurs ? - Non, je n'ai pas de frère mais j'ai une sœur.

Observe ces phrases.

- Pardon, monsieur, je cherche une pharmacie.
(On ne sait pas s'il y en a une ou non.)

- Il y a la pharmacie du marché, pas loin d'ici. (Ici, on connaît la pharmacie, elle est identifiée.)

- Allez, mange ! Les légumes sont bons pour la santé.
(Les légumes en général.)

- Mais j'ai déjà mangé des légumes hier !
(On ne sait pas de quels légumes il s'agit.)

◁)) ⭐A1 **1** **Écoute. Tu entends *un* ou *une* ? Coche la bonne réponse.**

8

	a	b	c	d	e	f	g	h	i	j	k	l
un	✓											
une												

⭐A1 **2** **Complète avec *un*, *une* ou *des*. Vérifie le genre des mots que tu ne connais pas.**

a. Dans le sac de Léa, il y a _____ clés, _____ téléphone portable, _____ portefeuille, _____ paquet de chewing-gum, _____ photo de sa meilleure copine, _____ stylo et _____ bonbons.

b. Aujourd'hui, pour le cours de gym, il faut :
Pour la course : _____ baskets, _____ tenue de jogging, _____ bandeau pour les cheveux.
Pour le cours de tennis : _____ chaussures de tennis, _____ short blanc ou _____ jupe blanche et, naturellement, _____ raquette et _____ balles !

c. Liste des fournitures pour la rentrée scolaire :
- _____ trousse avec _____ stylos (1 noir, 1 bleu, 1 rouge et 1 vert), _____ boîte de feutres, _____ crayons et _____ gomme.
- _____ cahiers (8) et _____ classeurs (5).
- Pour les mathématiques : _____ compas, _____ équerre, _____ rapporteur et _____ règle de 20 cm.
- Pour le cours de dessin : _____ bloc de papier blanc, _____ boîte de peinture, _____ ciseaux et _____ tablier.

⭐A1 **3** **Souligne en bleu les articles définis et en rouge les articles indéfinis.**

Chloé est une fille de ma classe. Je pense que c'est la plus jolie fille du collège. Elle est très sympa, elle adore le sport mais aussi la danse et la musique. Elle joue dans un orchestre, mais ce n'est pas l'orchestre du collège. Elle habite dans une maison moderne. Autour de la maison, il y a un grand jardin avec des fleurs et des arbres, et juste à côté, il y a un grand parc, le parc de la Providence.

⭐A2 **4** **Complète avec *un*, *une*, *des* ou *l'*, *le*, *la*, *les*.**

a. - J'aime beaucoup _____ chats. Et toi ?
- Moi aussi. J'ai _____ chat noir et _____ chatte grise. _____ chat noir s'appelle Ulysse.

b. - En général, qu'est-ce que tu fais _____ samedi ?
- _____ samedi matin, en général, je dors. _____ après-midi, je sors avec _____ copains ou _____ copines. Ou bien je vais faire _____ courses avec ma mère. J'aime bien aller dans _____ magasins du centre-ville.

2.4 Les articles partitifs

Forme

	masculin	féminin
singulier	du (ou de l')	de la (ou de l')
pluriel	des	

Devant une voyelle ou un **h** muet, **du** et **de la** ➜ **de l'** : *de l'alcool, de l'eau.*

> **!** À la forme négative : **pas de** ou **pas d'**.
> Il y a **du** Coca-Cola.   ➜ Il n'y a pas de Coca-Cola.
> Il y a **de l'**eau minérale.   ➜ Il n'y a pas d'eau minérale.
> Il y a **de la** bière.   ➜ Il n'y a pas de bière.
> Il y a **des** jus de fruits.   ➜ Il n'y a pas de jus de fruits.

Emplois

On utilise l'article partitif pour parler :

- d'une quantité indéterminée de quelque chose (on ne précise pas la quantité)
  Tu peux me prêter de l'argent ?
  (Combien d'argent ? On ne le précise pas.)

  Il achète des croissants pour le petit déjeuner.
  (Combien de croissants ? On ne le précise pas.)

- d'une partie de quelque chose de concret qu'on ne peut pas compter
  Pour le gâteau, il faut de la farine, du sucre en poudre, du beurre.
  (On ne peut pas dire ~~une~~ farine, ~~un~~ sucre en poudre, ~~un~~ beurre.)

- de quelque chose d'abstrait qu'on ne peut pas compter
  Tu as de la patience !
  (On ne peut pas dire ~~une, deux, trois~~ patiences.)

À midi, j'ai mangé du pâté, du poulet avec des légumes et de la salade. Et pour finir, du fromage et de la mousse au chocolat.

Tu as de la chance ! Moi, j'ai mangé un sandwich...

◁)) ★A2 **1** **Écoute. Dans ces phrases, *du* est un article partitif**
9 **ou un article contracté (= *de* + *le*) ? Coche.**

	a	b	c	d	e	f
article partitif						
article contracté	✓					

★A1 **2** **Complète avec *du*, *de la*, *de l'* ou *des*.**

  a. - Qu'est-ce que tu as mangé à la cantine ?

  - Le vendredi, c'est toujours _____ poisson avec _____ riz.

  - Et comme dessert ?

  - _____ fromage blanc et _____ tarte aux pommes.

  b. - Je vais faire les courses. Qu'est-ce que j'achète ?

  - Il faut _____ viande, _____ lait, _____ salade, _____ pâtes et _____ fromage.

  - Il y a _____ eau minérale ?

  - Oui mais achète _____ limonade et _____ bière.

★A2 **3** **Les petits déjeuners du monde. Complète les phrases avec l'article partitif.**

  a. Pour les Anglais, dans un bon petit déjeuner, il y a _____ haricots blancs, _____
  saucisses, _____ bacon, _____ œufs, _____ toasts. Et _____ thé ou _____ café.

  b. En Catalogne, le petit déjeuner est délicieux : _____ pain, _____ ail et _____
  tomates bien mûres avec _____ huile d'olive. On boit _____ café noir. On mange
  aussi _____ fromage, _____ jambon ou _____ saucisses.

  c. En Turquie, on mange _____ fromage, _____ beurre, _____ olives, _____ œufs,
  _____ tomates, _____ concombres, _____ confiture et _____ viande froide.

  d. En France, on boit _____ café, _____ thé ou _____ chocolat au lait et on mange
  _____ croissants ou bien _____ tartines avec _____ beurre et _____ confiture.

★A2 **4** **Complète avec *du*, *de la*, *de l'*, *des* ou *un*, *une*, *des*.**

  - Bonjour, messieurs dames. Qu'est-ce que vous prenez comme boisson ?

  - Qu'est-ce que vous avez ?

  - Nous avons _____ vin rouge, _____ vin blanc, _____ champagne. Et aussi
  _____ bière, _____ sodas.

  - Je voudrais _____ eau minérale, s'il vous plaît. Et _____ sandwich au jambon.

  - Pour moi, _____ verre de vin blanc sec avec _____ glaçons. Et pour manger,
  _____ pizza.

  - Très bien. Et pour le petit ?

  - Je veux _____ frites avec _____ ketchup et _____ Coca-Cola.

★A2 **5** **Mets à la forme négative.**

  Il mange des pâtes, du riz, de la polenta, des frites. Et il boit de la bière et du Coca.
  Il veut maigrir un peu. Alors maintenant, il fait attention.

LES DÉTERMINANTS

2.5 Les adjectifs possessifs

Forme

possesseur	singulier		pluriel
	masculin	féminin	m/f
je	mon	ma	mes
tu	ton	ta	tes
il/elle	son	sa	ses
nous, on	notre	notre	nos
vous	votre	votre	vos
ils/elles	leur	leur	leurs

> **Attention !**
> mon ami /
> mon amie [mõnami]
>
> mes amis /
> mes amies [mezami]

- L'adjectif possessif s'accorde en genre (masculin/féminin) et en nombre (singulier/pluriel) avec le nom qu'il accompagne.
    Lucie est ma fille ; Vincent est mon fils. Ce sont mes enfants.

- Il varie en fonction du possesseur.
    C'est ton livre ? (Il est à toi ?)
    C'est votre voiture, monsieur ? (Elle est à vous ? → un seul possesseur.)

> Si le nom féminin commence par une voyelle ou par un **h** muet :
> **ma → mon** *C'est mon école. / C'est mon amie Vanessa.*
> **ta → ton** *C'est ton idée. / C'est ton habitude ?*
> **sa → son** *C'est son université préférée. / C'est son humeur !*

Emplois

On utilise l'adjectif possessif pour exprimer :

- l'appartenance, la possession d'un objet ; dans ce cas-là, l'adjectif possessif correspond à « **à moi, à toi, à lui...** » :
    C'est son nouveau vélo. (Il est à lui ou à elle.)
    Ce sont mes affaires de classe. (Elles sont à moi.)

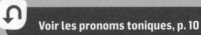

Voir les pronoms toniques, p. 10

- la relation de familiarité ou de lien
    C'est ma sœur.
    Ce sont tes parents ?
    C'est mon amie Zoé.

- la relation de situation, d'habitude, de répétition
    Ton examen, c'est demain ?
    (On connaît la situation : l'époque des examens.)

    Ah, voici mon bus !
    (Le bus que je prends tous les jours.)

🔊 ⭐A1 **1** Qu'est-ce que tu entends ? Entoure la bonne réponse.
10

    a. tes / (ses)   **e.** notre / votre
    b. notre / votre   **f.** nos / vos
    c. ma / sa   **g.** nos / vos
    d. mon / son   **h.** tes / ses

⭐A1 **2** Complète avec l'adjectif possessif qui convient comme dans l'exemple.

    C'est à moi   ➜ C'est **mon** sac. / Ce sont **mes** affaires.
    a. C'est à toi   ➜ C'est _____ téléphone portable. / Ce sont _____ livres.
    b. C'est à lui   ➜ C'est _____ livre d'histoire. / Ce sont _____ cahiers.
    c. C'est à elle   ➜ C'est _____ dictionnaire de français. / Ce sont _____ stylos.
    d. C'est à nous   ➜ C'est _____ voiture. / Ce sont _____ rollers.
    e. C'est à vous   ➜ C'est _____ maison ? / Ce sont _____ clés ?
    f. C'est à eux   ➜ C'est _____ numéro de téléphone. / Ce sont _____ idées.
    g. C'est à elles   ➜ C'est _____ choix. / Ce sont _____ idées.

⭐A1 **3** Complète avec *sa, son* ou *ses*. Attention à la phrase g.

    a. C'est la mère de Christophe.   ➜ C'est _____ mère.
    b. Voilà la sœur de Pierre.   ➜ Voilà _____ sœur.
    c. C'est le frère de Claudia ?   ➜ C'est _____ frère ?
    d. J'aime bien les parents de Jules. ➜ J'aime bien _____ parents.
    e. On part avec les copains de Nina. ➜ On part avec _____ copains.
    f. Elle habite avec le cousin de Nicolas. ➜ Elle habite avec _____ cousin.
    g. Helga, c'est l'amie de Théo.   ➜ C'est _____ amie.
    h. Voilà les amies de Clara.   ➜ Voilà _____ amies.

⭐A1 **4** Mets au singulier comme dans l'exemple. Attention à la phrase *f*.

    Ce sont vos filles ? ➜ *C'est votre fille ?*
    a. Ce sont mes sœurs. ➜ _____.
    b. Ce sont tes copines ? ➜ _____ ?
    c. Ce sont nos livres. ➜ _____.
    d. Ce sont leurs jeux préférés. ➜ _____.
    e. Ce sont ses meilleurs résultats. ➜ _____.
    f. Ce sont ses idées. ➜ _____.

Voilà ma petite famille...

LES DÉTERMINANTS

2.6 Les adjectifs démonstratifs

Forme

	masculin	féminin
singulier	ce /cet	cette
pluriel	ces	

- Si le nom masculin commence par une voyelle ou par un **h** muet, au singulier : **ce → cet**.
- Mais il n'y a qu'une seule forme au féminin singulier : **cette**.
- Et une seule forme au pluriel pour le masculin et le féminin : **ces**.
    - *Regarde ce anorak noir. Il est bien, non ?*
    - *Pas mal ! Et j'aime bien ce pull aussi.*
    - *Et ces gants jaunes ? J'aime bien !*
    - *Oh non ! Horrible ! Mais j'adore cette écharpe noire.*

Emplois

On utilise l'adjectif démonstratif pour désigner, pour montrer :

- quelqu'un ou quelque chose de proche ou de plus lointain
    - Si on veut insister sur la proximité, on peut ajouter **-ci**.
        Cette année-ci, on ne part pas en vacances. (On parle de l'année actuelle.)
    - Si on veut insister sur l'éloignement, on peut ajouter **-là**.
        Cette année-là, nous vivions en Californie. (On parle d'une année passée.)

- un moment d'aujourd'hui : *ce matin, cet après-midi, ce soir*

- quelqu'un ou quelque chose déjà évoqué
    - *Tu as monsieur Honoré en maths ?*
    - *Oui, j'aime bien ce prof. Il est sympa.*

Le pronom démonstratif *ça*

Le pronom démonstratif **ça** est la contraction de **cela**, qui est très soutenu en français. On l'utilise très souvent, surtout à l'oral :

- pour remplacer un mot, un groupe de mots, une phrase
    Donne-moi ça !
    Le chocolat, j'adore ça !

- comme sujet d'un verbe
    - *Le français, ça t'intéresse ?*
    - *Oui, ça me plaît. Ça va !*

- dans des expressions figées
    Ça va ?
    Ça y est, c'est fini !
    Stop ! Ça suffit !

A1 **1** Souligne les adjectifs démonstratifs.

a. Ce matin, je suis allé dans un parc.

b. Il s'appelle comment, ce nouvel élève ?

c. Aujourd'hui, vous n'avez pas cours dans cette classe mais dans la salle 233.

d. Je voudrais ces croissants, s'il vous plaît.

e. Qu'est-ce que tu préfères ? Ce gâteau ou cette tarte ?

f. Regarde dans cette vitrine. Tu as vu ce sac blanc ! Il est top !

g. - Tu vas au ski cet hiver ?

- Non, cette année, on reste à la maison.

h. - On va dans cet hôtel ou tu préfères ce camping, juste en face ?

A2 **2** Complète avec *ce, cet* ou *cette.*

a. Qu'est-ce que tu vas faire _____ été ?

b. J'aime bien _____ histoire. Pas toi ?

c. _____ gâteau coûte combien, s'il vous plaît ?

d. Tu as déjà vu _____ fille ?

e. Il habite dans _____ appartement depuis quand ?

f. Tu connais _____ chanson ?

g. _____ matin, nous avons un cours de français.

h. Oui, et _____ après-midi, sport. Super !

i. _____ année, on va aller en vacances en France.

j. Tu n'aimes pas _____ manteau noir ?

A2 **3** Mets au singulier. Attention aux phrases *f, g* et *h.*

a. Ces ordinateurs sont trop vieux. ➜ _____.

b. Ces garçons sont très sympas. ➜ _____.

c. Ces exercices sont difficiles. ➜ _____.

d. Ces maisons sont neuves. ➜ _____.

e. Ces livres sont intéressants. ➜ _____.

f. Ces animaux sont sauvages. ➜ _____.

g. Ces pays sont très froids. ➜ _____.

h. Ces journaux sont anglais ou américains ? ➜ _____ ?

🔊 **A2** **4** Écoute. Que signifie *ça* dans ces phrases ?
11   Entoure la bonne réponse.

a. le beau temps / le désordre / les vacances

b. les vêtements / la plage / les glaces

c. le français / les voyages / les films

d. les cerises / le pain / les livres

Bilan

A1 **1** **Choisis l'article qui convient.**

a. J'aime beaucoup le / les / des films d'horreur.
b. C'est la / une / ma très bonne actrice.
c. Tu as lu le / un / une dernier livre de J. K. Rowling ?
d. Je voudrais le / un / des sandwich au poulet avec un / une / la Coca-Cola.
e. Hier, au collège, on a regardé un / une / l' émission intéressante sur les planètes.
f. Madame Rossi est une / la / l' amie préférée de ma mère.
g. Mon frère fait ses études dans l' / la / une université japonaise.
h. J'aimerais utiliser l' / le / un ordinateur de mon père, mais il ne veut pas.

A1 **2** **Pour être heureux dans la vie, qu'est-ce qu'il faut ? Complète avec l'article partitif (*du, de l', de la, des*) qui convient et choisis les deux choses les plus nécessaires à ton avis.**

a. _____ amour
b. _____ argent
c. _____ temps libre
d. _____ amis
e. _____ chance
f. _____ travail

À mon avis, pour être heureux, il faut surtout _____ et _____.

A1 **3** **Écoute une seule fois. Complète avec le possessif ou démonstratif qui convient. Écoute à nouveau pour vérifier tes réponses.**

12

- Qui c'est sur *cette* photo ?
- C'est _____ oncle Fred, le frère de _____ père. Et à côté de lui, c'est _____ femme, Diana. Ils ont deux fils.
- Ils habitent où ?
- Aux États-Unis. Tu vois, ils vivent dans _____ chalet, là, à gauche. Derrière, tu vois _____ montagnes ? Ce sont les Rocheuses. _____ année je vais deux semaines chez eux. _____ cousins sont super ! Ils ont _____ âge.
- Et _____ mère, elle a des frères ?
- Non, mais elle a deux sœurs. _____ tante Hélène habite à Paris, elle va se marier _____ hiver. L'autre, _____ tante Flora, a vingt ans. Elle fait _____ études à Marseille. Elle habite chez _____ parents. Tiens, regarde _____ photo, ils vivent dans _____ appartement, là, au dernier étage, avec une énorme terrasse juste au bord de la mer.
- Et _____ autres grands-parents, ils habitent où ?
- Les parents de _____ père ? _____ grand-père est mort. _____ grand-mère habite en Normandie dans une ferme avec _____ chats, _____ chiens, _____ poules, _____ âne et _____ chèvre ; chez elle, c'est presque un zoo !

3 LES PRONOMS COMPLÉMENTS

Les pronoms compléments remplacent
un nom ou un groupe de noms.
Ils permettent de ne pas les répéter.
Ce sont des mots très économiques !

1. Les pronoms compléments d'objet direct (COD) :
me (m'), te (t'), le, la, l', nous, vous, les

2. Les pronoms compléments d'objet indirect (COI) :
me (m'), te (t'), lui, nous, vous, leur

3. Les pronoms *en* et *y*

4. Les pronoms réfléchis :
me (m'), te (t'), se (s'), nous, vous, se (s')
Les pronoms relatifs :
qui, que (qu'), où

5. La place des pronoms compléments

6. Bilan

Pardon, vous connaissez la rue de la Reine ?

Oui, je la connais.

3.1 Les pronoms compléments d'objet direct (COD)

Forme

singulier	pluriel
me (ou m')	nous
te (ou t')	vous
le (ou l') / la (ou l')	les

- Quand le verbe commence par une voyelle ou par un **h** muet :
  - **me** devient **m'** → *Théo, tu me regardes ? Tu m'écoutes ?*
  - **te** devient **t'** → *Oui, maman, je te regarde et je t'écoute !*
  - **le** devient **l'** → *Sammy ? Oui, je le connais et je l'aime beaucoup.*
  - **la** devient **l'** → *Stella aussi, je la connais mais je ne l'aime pas du tout.*
- Attention à la liaison :
  Tu appelles tes copains pour la fête ?
  Oui, je les appelle tout de suite.

  La géographie, ça vous intéresse ?
  Oui, ça nous intéresse beaucoup.

Emplois

- On utilise les pronoms COD quand le verbe se construit **directement**, sans préposition.
  regarder quelqu'un ou quelque chose ; aimer quelqu'un ou quelque chose

- Les pronoms **me**, **te**, **nous**, **vous** remplacent toujours des personnes.

- Les pronoms **l'**, **le**, **la**, **les** peuvent remplacer :
  - des personnes
    - *Tu connais Lisa ?*
    - *Oui, je la connais depuis deux ans.*
  - des choses
    - *Tu as ton livre ? Et tes cahiers ?*
    - *Oui, je l'ai. Mes cahiers, je les ai aussi.*

Je t'adore, et toi, tu me détestes !

- Ils remplacent un nom précis, déterminé, précédé :
  - d'un article défini → *- Tu regardes la télévision ? - Oui, je la regarde.*
  - d'un adjectif possessif → *- Tu connais ma copine ? - Non, je ne la connais pas.*
  - d'un adjectif démonstratif → *- J'aime bien ce film. Pas toi ? - Non, je ne l'aime pas du tout !*

- Le pronom COD est toujours immédiatement **avant le verbe** sauf à l'impératif affirmatif.
  - Vous m'écoutez ? - Vous ne m'écoutez pas ! Écoutez-moi s'il vous plaît !

A1 **1** **Réponds avec le pronom COD qui convient.**

a. - Tu regardes la télévision tous les jours ?
   - Non, je _____ regarde seulement le week-end.
   - Tu regardes quoi ? Des séries américaines ?
   - Oui. Mes parents ne _____ aiment pas, mais moi, je _____ adore.

b. - Vous connaissez la rue de Belleville, s'il vous plaît ?
   - Oui, je _____ connais très bien. Il faut prendre le bus 34.
   - Merci. Le bus 34, je _____ prends où ?
   - Là, en face. Vous _____ voyez ? Il arrive. Vite !

c. - Tu invites tous tes copains pour ton anniversaire ?
   - Oui, je _____ invite tous. Sauf Manu. Lui, je ne _____ invite pas.
   - Pourquoi ? Tu ne _____ aimes pas ?
   - Moi, je _____ aime bien mais ma copine _____ déteste.

A2 **2** **Mets les mots dans l'ordre.**

a. La radio ? → (écoutons) (souvent) (Nous) (l')

→ _____

b. Ma grand-mère ? → (appelle) (tous les jours) (Elle) (m')

→ _____

c. La prof de sciences ? → (la) (déteste) (Je)

→ _____

d. Les films d'horreur ? → (adore) (Il) (les)

→ _____

e. Mes DVD ? → (sur Internet) (Je) (achète) (les)

→ _____

f. Son portable ? → (toute la journée) (utilise) (l') (Il)

→ _____

🔊 13 **A2** **3** **Écoute. On parle de quoi ? Entoure la bonne réponse.**

a. les films / la télévision / ses photos
b. nos copains / Léa / mon frère
c. Jane / tes frères / ce livre
d. mon travail / mes devoirs / ma gymnastique
e. tes baskets / le pain / ta casquette
f. mon vélo / ma voiture / le métro

3.2 Les pronoms compléments d'objet indirect (COI)

Forme

singulier	pluriel
me (ou m')	nous
te (ou t')	vous
lui	leur

Il ne faut pas confondre le COI *lui* et le pronom tonique *lui*.
- *Tu écris à ton copain français ?*
- *Oui, je lui écris et lui, il m'écrit aussi.*

COI   pronom tonique

- Quand le verbe commence par une voyelle ou par un *h* muet :

  me devient *m'* ➔ *Mes parents m'offrent un cadeau.*

  te devient *t'* ➔ *Tes copains t'envoient des mails ?*

- Attention à la liaison :

  Grand-mère nous écrit toujours pour Noël.
  Elle nous envoie aussi des cadeaux.

- Attention, on utilise *lui* (singulier) et *leur* (pluriel) pour remplacer un nom masculin ou féminin indifféremment.

  Je parle à mon père. ➔ *Je lui parle.*
  Je parle à ma mère. ➔ *Je lui parle.*
  Je téléphone à mes copains. ➔ *Je leur téléphone.*
  Je téléphone à mes copines. ➔ *Je leur téléphone.*

Emplois

- On utilise les pronoms COI quand le verbe se construit indirectement, avec la préposition *à*.

  parler à quelqu'un ; écrire à quelqu'un

- Les pronoms COI représentent toujours des personnes. Ils correspondent à la question « *à qui ?* ». Les verbes indiquent une communication, une réciprocité.

  parler à quelqu'un, téléphoner à quelqu'un, écrire à quelqu'un, plaire à quelqu'un, demander quelque chose à quelqu'un, répondre quelque chose à quelqu'un...

- Il ne faut pas utiliser le pronom COI avec le verbe *penser à quelqu'un*. Il faut utiliser *à* + un pronom tonique (*moi*, *toi*, *lui/elle* - *nous*, *vous*, *eux/elles*).
  - *Tu penses à Laura ?*
  - *Oui, je pense à elle.*

  - *Et elle, elle pense à toi ?*
  - *Oui, elle pense à moi aussi.*

- Comme le pronom COD, le pronom COI est toujours immédiatement avant le verbe sauf à l'impératif affirmatif.
  - *Il lui demande quelque chose.*
  - *Quand il te parle, réponds-lui gentiment.*

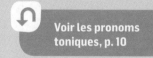

Voir les pronoms toniques, p. 10

1 Écoute la question et entoure la réponse qui correspond.

a. D'accord, on lui téléphone ce soir. / Non, on les appelle demain.

b. Je lui offre des fleurs. / Je vais t'offrir un beau cadeau !

c. OK ! On va chez lui ensemble. / D'accord, je vais chez vous.

d. Non, je ne leur parle plus. On est fâchées ! / Non, je ne lui parle pas !

e. Je vais tout vous expliquer. / Je vais lui expliquer.

2 **Réponds avec *lui* ou *leur*.**

a. - On offre un cadeau à nos grands-parents ?

  - D'accord, on _____ offre des livres ou des DVD ?

  - Des livres. Et on _____ écrit une petite carte.

  - Et à maman ? Qu'est-ce qu'on _____ offre ?

  - Je ne sais pas. Un pull ?

b. - Ta mère téléphone à la directrice du collège ?

  - Oui, elle _____ téléphone très souvent ! Trop souvent !

  - Elle téléphone aussi aux professeurs ?

  - Non, elle ne _____ téléphone pas. Mais elle _____ écrit de temps en temps.

  Elle _____ demande si je travaille bien.

  - Et les professeurs _____ répondent ?

  - Je ne sais pas.

3 **Dans les phrases suivantes, *leur* est un COI ou un adjectif possessif ?**

	COI	adjectif possessif
a. C'est leur nouvelle voiture.		✓
b. Je les aime bien, je leur parle souvent.		
c. On leur envoie un mail ?		
d. Je ne connais pas leur maison.		
e. Si les voisins te parlent, tu leur réponds poliment.		

4 **Souligne en rouge les pronoms COD et en noir les pronoms COI.**

Je connais bien mes voisins du 3ᵉ étage. Je les aime bien. Quand je pars en vacances, je leur envoie toujours une carte postale et je leur rapporte un petit cadeau.

Mes cousins s'appellent Mathis et Théo. Je ne les vois pas souvent parce qu'ils habitent loin mais je leur téléphone, je leur écris sur Facebook, je leur envoie des SMS. Et je les vois pendant les vacances de Noël.

3.3 Les pronoms compléments *en* et *y*

Le pronom complément *en*

Il remplace :

- un nom de personne ou de chose précédé d'un article indéfini : **un**, **une**, **des**
  - *Tu as un stylo, s'il te plaît ? - Oui, j'en ai deux. Tiens ! Je t'en donne un.*
  - *Il y a des élèves étrangers dans ton collège ? - Oui, il y en a quatre ou cinq.*
    - *Non, il n'y en a pas.*

  - À la forme affirmative,
    avec **un** et **une**, on répète l'article :   *- Tu as un stylo ? - Oui, j'en ai un.*
    avec **des**, on ne répète pas l'article :   *- Il y a des élèves étrangers ? - Oui, il y en a.*

  - À la forme négative, on ne répète pas les articles.
    - *Tu as un stylo ? - Non, je n'en ai pas.*
    - *Il y a des élèves étrangers ? - Non, il n'y en a pas.*

- un nom précédé d'un article partitif : **du**, **de l'**, **de la**, **des**
  À la forme affirmative et à la forme négative, on ne répète pas l'article.
  Vous voulez de l'eau gazeuse ? Oui, j'en veux bien, merci.
  Non, je n'en veux pas, merci.

- un nom indiquant la provenance, précédé de la préposition **de**
  - *Tu sors du collège à quelle heure ? - J'en sors à cinq heures.*
  - *Tu viens de la bibliothèque ? - Oui, j'en viens.*

Le pronom complément *y*

> Pour indiquer la présence de quelque chose dans l'espace, on utilise **il y a**.
> Le verbe est toujours au singulier.
> *Dans ma rue, il y a une poste, une boulangerie et un café.*

Voir :
→ les présentatifs, p. 16
→ se situer dans l'espace, p. 112

Il remplace :

- un complément de lieu
  - *Lucas est chez lui ?*
  - *Oui, il y est, je crois.*

  - *Tu vas dans les Alpes faire du ski ?*
  - *Non, cette année, on n'y va pas.*

- un nom de chose précédé de la préposition **à**
  - *Tu penses aux vacances ? - Oui, j'y pense souvent.* (penser à quelque chose)
    - *Non, je n'y pense pas encore. C'est loin !*

  - *Elle joue au foot depuis longtemps ? - Elle y joue depuis un an.* (jouer à quelque chose)

1 Réponds en utilisant *en*.

   a. Tu as un frère ? → Oui, _____ .

   b. Elle a de la chance ? → Oui, _____ .

   c. Ce professeur a de la patience ? → Non, _____ . Pas du tout !

   d. Tu veux du thé au citron ? → Non, merci, _____ .

   e. Elle mange du pain le matin ? → Oui, _____ .

   f. Elle mange aussi des croissants ? → Oui, _____ le samedi et le dimanche.

2 Il y en a combien ? Réponds comme dans l'exemple.

   Il y a combien d'habitants en Chine ? **1 370 000 000** → *Il y en a 1 370 000 000.*

   a. Il y a combien d'habitants à Monaco ? **36 000** → Il y _____ .

   b. La tour Eiffel a combien de marches d'escalier ? **1 665** → Elle _____ .

   c. Il y a combien de visiteurs chaque année ? **7 millions** → Il y _____ .

   d. L'Empire State Building a combien d'étages ? **102** → Il _____ .

   e. Et il y a combien d'ascenseurs ? **73** → Il y _____ .

3 Réponds en utilisant le **COD** *le, la, l', les* ou le **COD** *en*.

   a. Tu fais du sport ? → Oui, _____ .

   b. Tu as ton livre de français ? → Oui, _____ .

   c. Tu as des copains au collège ? → Oui, _____ beaucoup !

   d. Il fait froid. Tu prends ton manteau ? → Oui, _____ .

   e. Et tes gants ? → Je _____ aussi.

   f. Tu as un dictionnaire ? → Oui, _____ .

   g. Tu prends ta douche le matin ou le soir ? → Je _____ le matin.

   h. Tu bois du chocolat ? → Oui, _____ un bol au petit déjeuner.

4 Écoute et entoure la réponse qui correspond à la question.

   a. Non, on n'y va pas cette année. / Non, je ne l'aime pas.

   b. Oui, j'en ai pris. / Oui, je l'ai pris.

   c. Oui, j'en ai mangé deux. / Oui, je les ai mangées.

   d. On en prend place de la Nation. / On le prend place de la Nation.

   e. J'en voudrais trois, s'il vous plaît. / Je les veux bien, merci.

   f. Non, je n'en vois pas souvent. / Oui, je les vois souvent.

   g. Non, je n'y vais pas. / Oui, je vais bien.

   h. Non, je le ferai demain matin. / Oui, j'en ai fait.

Tu as mangé des tartines ?

Oui j'en ai mangé deux.

3.4 Les pronoms réfléchis et les pronoms relatifs

Les pronoms réfléchis

singulier	pluriel
me (ou m')	nous
te (ou t')	vous
se (ou s')	se (ou s')

- **on** → **se** : *Paul et moi, on* se *déteste. On ne* se *parle pas.*
- Attention à la répétition avec **nous** et **vous**. Le premier pronom est un sujet, le second est un complément.
  - *Vous vous couchez à quelle heure ?*
  - *Nous nous couchons à dix heures en général.*

Emplois

A. Le pronom complément réfléchi

Il représente la même personne que le sujet. On peut dire que le sujet fait l'action sur lui-même.

> *Je* me *couche à dix heures.*
> *Elle* s'*inscrit à la bibliothèque.*

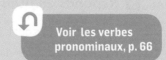

Voir les verbes pronominaux, p. 66

À la forme négative :

> *Le dimanche, je* ne me *lève* pas *à sept heures ! Je dors !*
> *Elle* ne s'*inscrit* pas *aujourd'hui, elle va s'inscrire demain.*

B. Le pronom complément réciproque

> *Jules et sa sœur Lisa* s'*adorent. (Jules adore Lisa et Lisa adore Jules.)*
> *Ma sœur et moi, c'est le contraire : on* se *dispute tout le temps.*
> *(Je me dispute avec ma sœur et elle se dispute avec moi.)*

Les pronoms relatifs

On utilise les pronoms relatifs pour relier deux propositions ou deux phrases.

> *Théo est un copain. Il habite près de chez moi.*
> *Théo est un copain* qui *habite près de chez moi.*

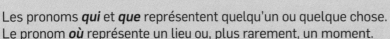

Les pronoms **qui** et **que** représentent quelqu'un ou quelque chose. Le pronom **où** représente un lieu ou, plus rarement, un moment.

- **Qui** est un pronom relatif sujet du verbe qui suit.
  > *Ella est une fille* qui *est dans mon lycée.*

- **Que** (ou **qu'**) est un pronom relatif complément d'objet du verbe qui suit.
  > *Hervé est un garçon* que *j'aime bien. (J'aime qui ? Hervé.)*

- **Où** représente en général un nom de lieu. Mais quelquefois, il représente un moment, une date.
  > *C'est la ville* où *j'habite.*
  > *Le samedi, c'est le jour* où *on fait les courses.*

A2 **1** **Complète le dialogue avec le pronom réfléchi qui convient.**

- Le dimanche, vous _____ levez à quelle heure ?

- Chez nous ? Moi, je _____ lève à neuf heures et mon frère _____ lève à dix heures.

- Et tes parents ?

- Oh, eux, ils _____ lèvent très tôt, ils font leur petit jogging du dimanche !

- Et après, qu'est-ce que tu fais ?

- Comme tout le monde : je déjeune, je _____ douche, je _____ habille…

- Vous restez à la maison toute la journée ?

- Non, en général, on sort. On _____ promène ou on va au cinéma.

A2 **2** **La journée de Kevin. Continue le texte.**

En général, Kevin se réveille à six heures et demie. À sept heures dix,
_____
_____
_____
_____

A2 **3** **Complète avec le pronom relatif qui convient : *qui*, *que* (ou *qu'*) ou *où*.**

a. C'est un pays _____ est à côté de la France et _____ on parle allemand, français et italien. C'est _____ .

b. C'est une ville _____ est en Californie et _____ beaucoup de stars de cinéma habitent. C'est _____ .

c. C'est un jour très important en France. C'est un jour _____ on ne travaille pas et _____ est le jour de la fête nationale. C'est le _____ .

d. C'est une boisson _____ on a inventé aux États-Unis mais _____ existe dans le monde entier. C'est un soda _____ commence par la lettre C. C'est le _____ - _____ .

A2 **4** **Continue la phrase.**

a. Venise est une ville qui _____ .

b. Le football est un sport que/qu' _____ .

c. L'Australie est un pays où _____ .

3.5 La place des pronoms compléments

La place des pronoms personnels compléments change en fonction du verbe.

- Avec un verbe au temps simple (présent, conditionnel...), le pronom complément se place **avant** le verbe simple.

    - COD → *Léonor ? Je l'aime bien.*
    - COI → *Je lui envoie des SMS.*
    - **en** → *J'adore le chocolat. J'en voudrais, s'il vous plaît.*
    - **y** → *Tu crois à la victoire de la Juventus ? Moi, j'y crois !*
    - Pronom réfléchi → *Elle se lève à sept heures.*

- Avec un verbe au temps composé (passé composé), le pronom complément se place **avant** le verbe composé.

    - COD → *- Tu as vu Enzo ? - Oui, je l'ai vu hier.*
    - COI → *- Tu lui as parlé ? - Non, je ne lui ai pas parlé.*
    - **en** → *- Tu as pris du Coca ? - Oui, j'en ai acheté une bouteille.*
    - **y** → *- Tu as posté ma lettre ? - Oui, j'y ai pensé. Elle est partie !*
    - Pronom réfléchi → *Elle s'est dépêchée de rentrer chez elle.*

- Avec deux verbes (un verbe conjugué + un infinitif), le pronom complément se place **entre** les deux verbes (avant l'infinitif).

    - COD → *- Tu vas voir Enzo ? - Oui, je vais le voir.*
    - COI → *- Tu vas parler à Enzo ? - Oui, je vais lui parler.*
    - **en** → *- Tu veux boire du Coca ? - Oui, je veux bien en boire.*
    - **y** → *- N'oublie pas ma lettre ! - Oui, je vais y penser.*
    - Pronom réfléchi → *Myriam, tu peux te dépêcher, s'il te plaît !*

- Avec un impératif :
    - à la forme affirmative, le pronom complément se place **après** le verbe.
      Ta sœur est petite : aide-la, donne-lui la main.

    - à la forme négative, le pronom complément se place **avant** le verbe.
      Il y a des gâteaux. Regarde-les mais n'en mange pas ! N'y touche pas !
      Ton petit frère est fatigué. Ne lui parle pas ! Ne le dérange pas.

> **!** À l'impératif affirmatif, pour les deux premières personnes du singulier, on utilise les pronoms toniques ***moi*** et ***toi*** : *Écoute-moi ! / Dépêche-toi !*

Allez, Patty, lève-toi ! Dépêche-toi de te doucher. Et ne te regarde pas une heure dans la glace !

1 Place le pronom à la bonne place.

J'aime bien Laetitia. Je *lui* téléphone tous les soirs.

a. Tes parents prennent du café le matin ? Oui, ils prennent tous les matins. **en**

b. Mon frère ne comprend pas l'exercice de maths. Je vais aider. **l'**

c. Je t'ai posé une question ! Réponds, s'il te plaît. **moi**

d. Mes voisins ? Oui, je connais très bien. **les**

e. Je ne peux pas aller à l'école chercher ta sœur. Tu vas chercher, s'il te plaît ? **la**

2 Écoute la question et entoure la réponse correcte.

16

a. Oui, je lui ai écrit. / Oui, je l'ai écrit.

b. Oui, je lui prête souvent. / Oui, je le regarde souvent.

c. Oui, ils se dépêchent. Ils arrivent. / D'accord, je me dépêche !

d. Oui, j'en veux bien. / Oui, je les veux bien.

e. Non, je n'y vais pas. / Non, je n'en veux pas.

3 Mets à la forme négative.

Demande-lui l'autorisation de sortir. ➜ *Ne lui demande pas l'autorisation de sortir.*
Sors discrètement.

a. Écris-moi tous les jours. ➜ _____. Une fois par semaine, ça suffit.

b. Ce magazine ? Achète-le ! Lis-le ! ➜ _____, _____.
Il est nul !

c. Lena ? Téléphone-lui. Invite-la ! ➜ Lena ? Ah non ! _____,
_____. Pas elle !

4 Mets les mots dans l'ordre.

a. À la plage ? y   demain   Nous   aller   allons

➜ _____

b. Il n'y a plus de riz ? acheter   au supermarché   Tu   peux   en

➜ _____

c. *Le Hobbit* ? l'   lu   Je   deux fois   ai

➜ _____

d. Mamie déteste les SMS ? en   pas   envoie   Ne   lui

➜ _____

e. Mes devoirs ? vais   faire   après le dîner   Je   les

➜ _____

f. Léa ? pas   m'   téléphoné   Non   elle   a   ne   aujourd'hui

➜ _____

A1 **1** **Choisis le pronom qui convient.**

a. - Tu regardes la télévision ?   - Oui, je la / le / lui regarde souvent.

b. - Noah, téléphone à ton oncle Eric.   - D'accord, je le / la / lui téléphone.

c. - Tes parents lisent les journaux ?   - Non, ils ne le / la / les lisent pas beaucoup.

d. - Et ils écoutent la radio ?   - Ah oui, ils l' / la / le écoutent tous les jours.

e. - Tu parles à tes voisins de classe ?   - Bien sûr ! Je le / les / leur parle. On est amis.

◁))
17 **A2** **2** **Lis les réponses. Écoute ensuite les questions.**
Pour chaque réponse, indique la question qui correspond.

a. D'accord, j'en achète. Pas de problème ! Je prends des bananes ? → ☐

b. Oui, elle va lui acheter. 50 euros, ça va, ce n'est pas trop cher. → ☐

c. D'accord, je l'achète. Donne-moi 2 euros, je n'ai pas de monnaie. → ☐

d. En général, je les achète tout près de chez moi. → ☐ 1

e. Pas encore. Elle va en acheter une l'année prochaine. → ☐

f. Oui, je leur ai acheté ça pour Noël. → ☐

A2 **3** **Réponds avec le pronom qui convient.**

a. - Tu connais mon copain Mario ?
   - Non, _____

b. - Tu as du travail pour demain ?
   - Oui, _____ : des maths et du français.

c. - Vous avez vos livres ?
   - Oui, _____

d. - Tu écris souvent à tes copains ?
   - Oui, _____ : des mails, des tweets, des SMS...

A2 **4** **Vrai ou faux ?**

	VRAI	FAUX
a. Devant une voyelle, le pronom *les* devient *l'*.		
b. Devant une voyelle, le pronom *la* devient *l'*.		
c. Le pronom COI *lui* est toujours masculin.		
d. *Nous nous couchons* est une forme correcte.		
e. Les pronoms se placent avant l'impératif affirmatif.		
f. Pour remplacer *du*, *de la*, *des* + un nom, on utilise le pronom *en*.		

4 L'EXPRESSION DE LA QUANTITÉ

Pour exprimer une idée de quantité, on utilise les articles déterminés, indéterminés et partitifs, mais on utilise aussi : des adverbes, des nombres (des adjectifs cardinaux, des adjectifs ordinaux).

1. Devant un nom :
la quantité nulle (*pas de*), la quantité relative (*un peu de*), l'intensité (*trop de*), la quantité totale (*tout*), quelques noms de mesures (*un litre de...*, *un kilo de...*) et de contenants (*une boîte de...*)

2. Devant un adjectif, un adverbe ou un verbe :
la quantité nulle, la quantité relative, l'intensité
(*il n'est pas sérieux, il travaille trop vite*)

3. Les nombres :
les adjectifs cardinaux (*un, deux, trois...*),
les adjectifs ordinaux (*premier, deuxième, troisième...*)

4. Bilan

L'EXPRESSION DE LA QUANTITÉ

4.1 Devant un nom

La quantité peut être nulle (0), relative (**assez**, **un peu**...) ou totale (**tout**).

A. Pour exprimer **une quantité nulle** (= zéro) :
pas de + nom (sans article)
Il exprime la quantité nulle avec les noms précédés d'un article indéfini (**un**, **une**, **des**) ou d'un article partitif (**du, de l', de la, des**).

> - Tu veux un Coca ? Un tonic ? Une limonade ?
> - Non, merci, je ne bois pas de soda.
>
> - Je mets du beurre dans ta purée ?
> - Non, ne mets pas de beurre. Je fais un régime !

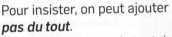

Pour insister, on peut ajouter **pas du tout**.
> Je ne bois pas du tout de soda.
> (ou : pas de soda du tout)
> On ne met pas du tout de sel.
> (ou : pas de sel du tout)

B. Pour exprimer **une quantité relative** :
- **peu de** + nom (sans article)
  Il n'est pas très sympathique. Il a peu d'amis.
  (= pas beaucoup d'amis ➔ idée négative)

- **un peu de** + nom (sans article)
  Je peux t'aider, j'ai un peu de temps.
  (= une petite quantité de temps ➔ idée positive)

- **assez de** + nom (sans article)
  Viens habiter chez moi. Il y a assez de place pour tout le monde.
  (= suffisamment de place)

- **beaucoup de** + nom (sans article)
  Ce matin, il y a beaucoup de vent et beaucoup de nuages.
  (= une grande quantité)

C. Pour exprimer **une intensité** plus grande :
- **énormément de** + nom (sans article)
  Il gagne énormément d'argent.
  (= une très grande quantité d'argent)

- **trop de** + nom (sans article)
  Je déteste le métro : il y a trop de gens, trop de bruit, trop de stress...
  (= une quantité excessive)

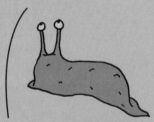

*Viens chez moi.
Il y a assez de place
pour tout le monde.*

D. Pour exprimer **une quantité totale** :
tout le / toute la / tous les / toutes les + nom
> Tout le monde est là ? (= la totalité des gens)
> Il travaille toute la journée. (= la journée entière)
> Je me lève tous les jours à sept heures. (= la totalité des jours)
> Le chien aboie toutes les nuits. (= la totalité des nuits)

E. Quelques noms de **mesures** et de **contenants** :
- un litre de lait, une bouteille de lait, un verre de lait, une tasse de lait...
- un kilo de pommes, une livre (= 500 g) de café , une demi-livre (= 250 g) de beurre...
- un paquet de café, un paquet de bonbons, un paquet de Kleenex...
- une boîte de haricots verts, une boîte de sardines à l'huile, une boîte de maïs...
- un pot de confiture, un pot de moutarde, un pot de crème...
- un morceau de pain, un morceau de viande, un morceau de gâteau...
- une tranche de jambon, une tranche de pâté, une tranche de gâteau...

1 Écoute et entoure la phrase qui correspond.

(A2, audio 18)

a. Alors, mange beaucoup de sel. / il faut manger peu de sel.

b. J'ai trop de travail. / J'ai un peu de travail.

c. Tu ne fais pas assez de sport. / Tu fais beaucoup de sport.

d. Il y a eu peu de monde ! / Il y a eu beaucoup de monde !

e. ...un peu de tout et faire du sport. / ...beaucoup de tout et faire du sport.

2 *Tout, toute, tous* ou *toutes* ? Complète.

(A1)

a. Il y a eu du bruit dans la rue _____ la nuit.

b. _____ mes copains sont malades ! C'est une épidémie.

c. Qu'est-ce que tu as fait pendant _____ ce temps ? Je t'ai attendu une heure !

d. Tu as fini _____ tes devoirs ? Tu as appris _____ tes leçons ?

e. Elles sont restées à la plage _____ la journée.

f. Terminus ! _____ les voyageurs sont invités à descendre.

Allez ! _____ le monde descend !

3 Complète avec les mots suivants :

(A1)

une bouteille   un litre   un kilo   un paquet   une boîte   une tranche   un pot

- Bonjour, monsieur. Je voudrais _____ d'oranges et _____

d'ananas en tranches, s'il vous plaît.

- Bien. Et avec ça ?

- Alors... _____ d'huile d'olive et _____ de moutarde forte.

Ah oui ! Je voudrais aussi du lait, _____ de lait demi-écrémé.

- Un peu de jambon ? Le Parme est excellent !

- Oui, donnez-moi _____ de jambon de Parme. Une petite.

Ah ! J'ai oublié le café. Je voudrais _____ de café, s'il vous plaît.

- Voilà. Alors, ça fait en tout 35 euros.

4 À ton avis, pour être heureux, il faut...

Entoure les réponses avec lesquelles tu es d'accord et justifie.

(A1)

beaucoup d'amis   beaucoup d'argent   assez d'argent pour vivre

un peu de temps libre   pas de violence   pas trop de travail

_____

_____

L'EXPRESSION DE LA QUANTITÉ

4.2 Devant un adjectif, un adverbe ou un verbe

Quand l'adverbe modifie un adjectif ou un autre adverbe

Devant un adjectif ou un adverbe, l'adverbe de quantité peut exprimer une valeur nulle, une valeur totale ou une valeur relative. Il y a toujours une idée d'intensité.

A. Pour exprimer une quantité nulle (= zéro) :
pas + adjectif ou adverbe
Je ne suis pas content.
Il ne parle pas poliment.

Pour insister, on peut ajouter **du tout**.
Je ne suis pas content du tout!
(ou : pas du tout content)
Il ne parle pas poliment du tout
(ou : pas du tout poliment)

B. Pour exprimer une quantité relative :
- *peu* + adjectif ou adverbe
Le secrétaire du club de tennis est peu aimable. (pas très aimable)
Il accueille les gens peu aimablement. (pas très aimablement)

- *un peu* + adjectif ou adverbe
Votre réaction est un peu violente !
Il a réagi un peu violemment.

- *assez* + adjectif ou adverbe
Elle est assez jolie et très sympa.
Il travaille assez bien.

Souvent, les jeunes utilisent **trop** à la place de **très**.
Camille ?
Elle est trop sympa !
Je l'adore !

- *très* + adjectif ou adverbe
Il fait très beau aujourd'hui.
Il a fait son exercice très facilement.

- *trop* + adjectif ou adverbe
Je ne sors pas : je suis trop fatigué !
Tu travailles trop vite. Va doucement ! Réfléchis !

Quand l'adverbe modifie le verbe

En général, les adverbes de quantité, comme les autres adverbes, se placent :

beaucoup + adjectif
C'est beaucoup bon !
C'est très bon !

- **après** le verbe s'il est à un temps simple
Il travaille beaucoup.
Vous ne sortez pas assez.

- **entre** l'auxiliaire et le participe passé si le verbe est à un temps composé
Tu as trop travaillé ! Arrête !
Nous n'avons pas beaucoup dormi.

1 Relie.

a. J'ai trop mangé pendant les vacances.

b. Cette tarte n'est pas assez cuite.

c. Je peux prendre un peu de vin ?

d. Il est très intelligent.

e. Elle est trop gentille avec tout le monde.

f. Il parle très peu.

g. Tu as assez d'argent pour le voyage ?

1. Oui, mais très orgueilleux aussi !

2. À ton âge ! Non, pas d'alcool du tout !

3. Normal, il est timide.

4. Oui, tu as pris quelques kilos !

5. Oui, beaucoup trop.

6. Oui, ça va, ça suffira.

7. Oui, elle est trop molle.

a	b	c	d	e	f	g

2 Complète avec *très* ou *trop*.

a. C'est _____ compliqué : je ne peux pas faire l'exercice !

b. C'est _____ difficile, mais je vais essayer de faire cet exercice.

c. Elle est vraiment _____ jolie, tout le monde est d'accord !

d. Une moto ? Ah non ! Pas question ! C'est _____ dangereux !

e. Ne regarde pas la télé de _____ près, c'est mauvais pour les yeux.

f. Ce bébé est vraiment _____ grand pour son âge !

3 Place l'adverbe à la bonne place.

a. Ils ont travaillé. beaucoup

➜ _____.

b. Tu n'as pas mangé. assez

➜ _____.

c. Vous vous connaissez ? bien

➜ _____ ?

d. C'est un mystère ! Il travaille mais il réussit au collège. très peu   très bien

➜ _____.

e. Cette voiture coûte. cher

➜ _____.

f. Nous nous sommes amusés. beaucoup

➜ _____.

4 Complète avec *très*, *trop*, *assez*, *beaucoup*, *toute*, *tous*.

a. Il a été malade _____ la nuit. Normal ! Il a _____ mangé hier soir, comme d'habitude. C'est _____ les dimanches la même chose : il mange, il mange, il mange... Et voilà le résultat !

b. Elle travaille _____ pour son examen. Elle se couche _____ tard, à minuit ou une heure du matin. Et elle ne mange pas _____. Elle mange comme un oiseau !

L'EXPRESSION DE LA QUANTITÉ

4.3 Les nombres

Les adjectifs cardinaux

0	zéro	22	vingt-deux	80	**quatre-vingts**
1	un	23	vingt-trois	81	**quatre-vingt-un**
2	deux	....		82	quatre-vingt-deux
3	trois	30	trente	83	quatre-vingt-trois
4	quatre	31	**trente et un**	....	
5	cinq	32	trente-deux	90	quatre-vingt-dix
6	six	33	trente-trois	91	quatre-vingt-onze
7	sept	....		....	
8	huit	40	quarante	97	quatre-vingt-dix-sept
9	neuf	41	quarante et un	98	quatre-vingt-dix-huit
10	dix	....		....	
11	onze	50	cinquante	100	cent
12	douze	51	cinquante et un	....	
13	treize	....		200	**deux cents**
14	quatorze	60	soixante	....	
15	quinze	61	soixante et un	1 000	mille
16	seize	....		....	
17	dix-sept	70	soixante-dix	5 000	cinq mille
18	dix-huit	71	soixante et onze	....	
19	dix-neuf	72	soixante-douze	1 000 000	un million
20	vingt	77	soixante-dix-sept	....	
21	**vingt et un**	....		1 000 000 000	un milliard

- ***Cinq***, ***six***, ***sept***, ***huit***, ***dix*** : si le nombre est suivi d'un mot commençant par une voyelle, on fait la liaison.
  Il a dix ans. ➜ *[dizã]*

- Les nombres sont en général invariables :
  quatre copains, douze ans, dix mille habitants...

  mais ***vingt*** et ***cent*** prennent un ***-s*** s'il y en a plusieurs
  quatre-vingts / cinq cents

  sauf s'il y a un autre chiffre après.
  quatre-vingts **mais** *quatre-vingt-cinq*
  cinq cents **mais** *cinq cent vingt-cinq*

- 1000 h. = *mille habitants*　　100 000 h. = *cent mille habitants*
  1 000 000 h. = *un million d'habitants*　　2 000 000 000 = *deux milliards d'habitants*

Les adjectifs ordinaux

- On ajoute le suffixe ***-ième*** au nombre
  12e ➜ *douzième* / 56e ➜ *cinquante-sixième*
  Exception : 1er ➜ *premier* (et *dernier*)

- Les adjectifs ordinaux servent à classer.
  Ils sont toujours placés avant le nom.
  Ils habitent au vingtième étage.
  C'est une église romane qui date du dixième siècle.

Attention à l'ordre des mots.
Les deux premiers jours
il a plu, mais ensuite
le soleil est revenu.

Il a vécu en Australie
ces trois dernières années.

A2 **1** Écris en lettres. N'oublie pas le tiret (-) quand c'est nécessaire.

a. 19 ➜ _____

b. 127 ➜ _____

c. 700 ➜ _____

d. 942 ➜ _____

e. 3 200 ➜ _____

f. 2 817 ➜ _____

g. 2015 ➜ _____

h. 1 900 577 ➜ _____

A2 **2** Écris les nombres et les adjectifs ordinaux en lettres.

a. Il habite au 2ᵉ étage.

➜ _____ .

b. Sonia habite dans une tour de 47 étages. Elle vit au 45ᵉ étage.

➜ _____ .

c. Voltaire est un écrivain français du 18ᵉ siècle.

➜ _____ .

d. Elle a bien réussi son examen. Elle est 1ʳᵉ sur 330 candidats.

➜ _____ .

e. Le roi Louis XVI a été guillotiné en 1793.

➜ _____ .

f. Marilyn Monroe est morte en 1962.

➜ _____ .

A2 **3** Rédige en lettres.

a. 287,75 euros = _____ euros et _____ centimes.

b. 198,90 euros = _____ euros et _____ centimes.

c. 2 355,05 euros = _____ euros et _____ centimes.

🔊 **A2** **4** Écoute et note en chiffres ces numéros de téléphone. Attention, en français, on donne les nombres des numéros de téléphone deux par deux sauf pour ceux qui commencent par 0.

19

a. _____

b. _____

c. _____

d. _____

cinquante-neuf **59**

A1 **1** **Relie.**

a. une boîte
b. un paquet
c. un kilo   de
d. une tranche
e. un litre
f. un morceau

1. bonbons
2. lait
3. petits pois
4. jambon blanc
5. fromage de chèvre
6. tomates

a	b	c	d	e	f

🔊 20 **A1** **2** **Écoute et entoure l'énoncé qui correspond à la phrase de départ :**

a. Elle mange un peu de tout. / Elle ne mange pas beaucoup.
b. C'est bizarre, ce n'est pas normal. / Il est bien élevé, bien éduqué.
c. Je n'aime pas beaucoup le poisson. / Je déteste le poisson.
d. Il a beaucoup travaillé. / Il a trop peu travaillé.

A1 **3** **Place l'adverbe de quantité à la bonne place.**

a. Ils se sont aimés.   beaucoup   _____ .
b. Vous vous êtes reposés ?   assez   _____ ?
c. Ils ont dormi car ils ont fait la fête.   peu   beaucoup   _____ .
   Alors, ce matin, ils sont fatigués.   très   _____ .

A2 **4** **Mets ces phrases dans l'ordre.**

a.   premiers   deux   se sont reposés   les
   Ils _____ jours.

b.   avons loué   les   une maison en Sicile   pour

     deux   semaines   dernières

   Nous _____ de juillet.

c.   gagnent   premiers   deux

     candidats   une semaine

   Les _____ aux sports d'hiver.

🔊 21 **A2** **5** **Coche le nombre que tu entends.**

a. ☐ 1 600   ☐ 3 600   ☐ 6 600
b. ☐ 1919   ☐ 1969   ☐ 1989
c. ☐ 06 55 74 87 27   ☐ 06 25 14 87 87   ☐ 06 55 94 27 27

5 LE VERBE : CONJUGAISON ET EMPLOIS

La conjugaison des verbes au présent peut se faire sur 1, 2 ou 3 bases (ou radicaux).

1. Les verbes *être* et *avoir*

2. Les verbes en *-er* : *parler, appeler*

3. Les verbes pronominaux : *se doucher, se regarder*

4. Les verbes *partir, finir, mettre* et *lire*

5. Les verbes *venir, prendre, dire* et *faire*

6. Les verbes modaux : *pouvoir, savoir* et *vouloir*

7. L'obligation : *devoir* et *il faut*

8. Les formes impersonnelles :
il y a, il fait, il est, il faut, ça

9. Bilan

Un autre café ? Ah non, monsieur ! À midi, il faut boire un apéritif ! Un petit vin blanc ?

Je voudrais un autre café, s'il vous plaît...

5.1 Les verbes *être* et *avoir*

Le verbe *être*

Forme

Je suis [sɥi]	Nous sommes [sɔm]
Tu es [ɛ]	Vous êtes [ɛt]
Il/Elle/On est [ɛ]	Ils/Elles sont [sɔ̃]

Emplois

On utilise le verbe **être** :

- au sens propre
  - pour dire ou demander qui on est :
    - *Vous êtes Charles Montfort ? - Non, je suis Bastien Montfort.*
  - avec un adjectif, pour décrire ou pour indiquer une profession ou une nationalité :
    Je suis brun. ~ Tu es collégien ? ~ Il est professeur. ~ Ils sont français.
  - pour indiquer où on se trouve dans le temps ou dans l'espace :
    Aujourd'hui, nous sommes le 24 mars. Nous sommes jeudi ou vendredi ?
    - Ce week-end, je suis à Toulouse et toi ?
    - Moi, je suis à la maison.
- comme auxiliaire pour les temps composés de certains verbes
  et pour tous les verbes pronominaux
  Nous sommes allés à Paris en 2013. ~ Vous êtes partis en vacances ?

Le verbe *avoir*

Forme

J'ai [e]	Nous avons [avɔ̃]
Tu as [a]	Vous avez [ave]
Il/Elle/On a [a]	Ils/Elles ont [ɔ̃]

 Voir
➤ **les verbes pronominaux, p. 66**
➤ **le passé composé, p. 86 et 88**

Emplois

On utilise le verbe **avoir** :

- au sens propre
  - pour signifier « posséder » ou avoir une relation familiale, amicale :
    Mes parents ont une Fiat. ~ J'ai deux frères.
  - pour décrire quelqu'un ou quelque chose / dire l'âge :
    Jenny a les yeux noirs et les cheveux bruns.
    - Tu as quel âge ?
    - J'ai treize ans et demi.
- comme un auxiliaire pour les temps composés de la plupart des verbes
  Il a acheté un cadeau pour l'anniversaire de son père.
- dans beaucoup de locutions figées
  avoir faim ~ avoir soif ~ avoir peur ~ avoir mal ~ avoir chaud ~
  avoir froid ~ avoir sommeil ~ avoir envie de ~ avoir besoin de...

J'ai peur
des araignées.

1 **Complète avec le verbe *avoir* ou avec le verbe *être*.**
   N'oublie pas de conjuguer.

   a. - C'_____ ton amie ?

   - Florence ? Oui. C'_____ une élève de ma classe. Elle _____ très sympa.

   - Elle _____ quel âge ?

   - Treize ans. Sa mère _____ professeur de français au collège.

   b. - Mon frère _____ une nouvelle copine.

   - Ah bon ? Elle _____ comment ?

   - Elle _____ grande, elle _____ les cheveux blonds...

   - Elle _____ jolie ?

   - Oui, elle _____ des yeux magnifiques ! Ils _____ violets.

   c. - Tu veux déjeuner ? Tu _____ faim ? Tu _____ soif ?

   - Non, merci. Je _____ fatigué et j'_____ sommeil. Je vais dormir.

   d. - Ton VTT _____ super ! Il _____ neuf ?

   - Non, il _____ deux ans et demi.

   e. - Vous _____ peur de quoi ?

   - Moi, j'_____ peur des loups.

   - Pas moi. Mais j'_____ peur des serpents. Mon petit frère, lui, il _____ peur de tout !

   f. - Pardon, monsieur, vous _____ du quartier ? Où _____ la poste, s'il vous plaît ?

   - Désolé, je ne _____ pas d'ici. Je ne sais pas où elle _____.

   g. - Bonjour, j'_____ un rendez-vous à 15h avec le docteur Guerra.

   - Oui. Mais vous _____ en retard ! Il _____ 15h30 !

   - Oui, je _____ désolé. Mais le docteur _____ là, n'est-ce pas ?

2 **Écoute et indique la phrase qui correspond.**

22

   a. Eh bien, mets un pull over ! → ☐

   b. Tu veux de l'aspirine ? J'en ai. → ☐

   c. Une minute ! On dîne bientôt ! → ☐ *1*

   d. Alors, hop ! Au lit ! Bonne nuit ! → ☐

   e. Mais non, je suis là, ne t'inquiète pas ! → ☐

   f. Eh bien, ouvre la fenêtre ! → ☐

3 **Qui est Justin Bieber ? Fais son portrait. Utilise les verbes *être* et *avoir*.**

_____

_____

_____

_____

_____

_____

5.2 Les verbes en -er

Les verbes terminés en -er (verbes du premier groupe) sont formés à partir d'une seule base et ils ont une terminaison régulière : -e, -es, -e, -ons, -ez, -ent. Exception : le verbe **aller**.

Forme

> **Parler**
> Je parle [paʁl]   Nous parlons [paʁlɔ̃]
> Tu parles [paʁl]   Vous parlez [paʁle]
> Il/Elle/On parle [paʁl]   Ils/Elles parlent [paʁl]

Quelques particularités des verbes en -**er** :

- les verbes **appeler**, **s'appeler**, **rappeler** doublent la consonne **l** à toutes les personnes sauf **nous** et **vous**, et sauf à l'infinitif et pour le participe passé

> **Appeler**
> J'appelle [apɛl]   Nous appelons [aplɔ̃]
> Tu appelles [apɛl]   Vous appelez [aple]
> Il/Elle/On apelle [apɛl]   Ils/Elles appellent [apɛl]

- le verbe **acheter**, **se lever**
  - pas de voyelle finale prononcée ➜ accent grave **è**
  - on entend une voyelle finale ➜ pas d'accent sur le **e**

> **Acheter**
> J'achète [aʃɛt]   Nous achetons [aʃtɔ̃]
> Tu achètes [aʃɛt]   Vous achetez [aʃte]
> Il/Elle/On achète [aʃɛt]   Ils/Elles achètent [aʃɛt]

- le verbe **préférer**
  - pas de voyelle finale prononcée ➜ accent grave : **è**
  - on entend une voyelle finale ➜ accent aigu : **é**

> **Préférer**
> Je préfère [pʁefɛʁ]   Nous préférons [pʁefeʁɔ̃]
> Tu préfères [pʁefɛʁ]   Vous préférez [pʁefeʁe]
> Il/Elle/On préfère [pʁefɛʁ]   Ils/Elles préfèrent [pʁefɛʁ]

- les verbes en -**cer** : c ➜ **ç** (pour garder le son [s])

> **Commencer**
> Je commence [kɔmɑ̃s]   Nous commençons [kɔmɑ̃sɔ̃]
> Tu commences [kɔmɑ̃s]   Vous commencez [kɔmɑ̃se]
> Il/Elle/On commence [kɔmɑ̃s]   Ils/Elles commencent [kɔmɑ̃s]

- les verbes en -**ger** : g ➜ **ge** (pour garder le son de **je** [ʒ])

> **Manger**
> Je mange [mɑ̃ʒ]   Nous mangeons [mɑ̃ʒɔ̃]
> Tu manges [mɑ̃ʒ]   Vous mangez [mɑ̃ʒe]
> Il/Elle/On mange [mɑ̃ʒ]   Ils/Elles mangent [mɑ̃ʒ]

Attention aux lettres muettes : les trois personnes du singulier (*je parle, tu parles, il parle*) et la dernière personne du pluriel (*ils parlent*) se prononcent de la même façon : [paʁl].

Quelques verbes en -**ir** (**offrir**, **ouvrir**, **souffrir**) se conjuguent comme les verbes en -**er** avec une seule base.

J'ouvr-e
Tu ouvr-es
Il/Elle/On ouvr-e
Nous ouvr-ons
Vous ouvr-ez
Ils/Elles ouvr-ent

Les verbes en -**yer** (**payer**, **essayer**) ont deux formes possibles :
- *Je paie, tu paies, il/elle/on paie, nous payons, vous payez, ils paient.*
- *Je paye, tu payes, il/elle/on paye, nous payons, vous payez, ils payent.*

La première forme (*je paie, j'essaie, je balaie...*) est la plus fréquente.

A1 **1** **Associe un pronom sujet et un verbe.**

a. Nous

b. Elles

c. On

d. Je

e. Tu

f. Vous

1. parle tous français.

2. aimes les films policiers ?

3. préférez le printemps ou l'été ?

4. travaillons de 8h à 16h.

5. joue de la guitare dans un groupe de rock.

6. étudient le français depuis un an.

a	b	c	d	e	f

A1 **2** **Complète les terminaisons.**

a. - Vous voyag_____ en train ou en avion ?

- Nous voyag_____ toujours en train.

b. - Vous vous appel_____ comment ?

- Je m'appel_____ Théo Millon.

c. - Qu'est-ce qu'on mang_____ ?

- Nous mang_____ des spaghettis à la carbonara.

d. - Tu me donn_____ tes vieux livres ?

- Non, je les gard_____.

e. - Vous pa_____ en carte bleue ?

- Non, je pa_____ en liquide.

f. - Tu essa_____ ce manteau ?

- Oui, je l'essa_____ tout de suite.

A1 **3** **Mets les accents qui manquent sur les verbes.**

a. Qu'est-ce qu'on achete au marché ?

b. Tu preferes les sciences ou la littérature ?

c. J'espere qu'il va faire beau demain.

d. Vous repetez pour le spectacle de fin d'année ?

e. Completez avec le mot qui manque.

f. Complete avec le mot qui manque.

A1 **4** **Transforme ce texte en utilisant *nous*.**

J'aime bien les voyages. Quand je voyage dans un pays étranger, j'essaie de parler (un peu) la langue du pays et je mange la même chose que les gens. Je préfère voyager en bus ou en train pour parler avec les autres voyageurs. J'achète des cartes postales pour les amis et je leur envoie des SMS.

5.3 Les verbes pronominaux

Forme

Se doucher

Je me douche	Nous nous douchons
Tu te douches	Vous vous douchez
Il/Elle/On se douche	Ils/Elles se douchent

> **Devant une voyelle**
> **me ➤ m', te ➤ t', se ➤ s'.**
>
> *Je m'intéresse au judo.*
> *Il s'appelle Cédric.*

- Avec un verbe pronominal, le sujet fait l'action sur lui-même.
  Je me douche. (➤ je fais l'action sur moi-même)

- Comparez

  - verbe non pronominal :

    Je te regarde
    Tu les regards
    Il/Elle/On nous regarde
    Nous la regardons
    Vous me regardez
    Ils/Elles le regardent

    Le pronom COD est différent du pronom sujet.

  - verbe pronominal :

    Je me regarde
    Tu te regardes
    Il/Elle/On se regarde
    Nous nous regardons
    Vous vous regardez
    Ils/Elles se regardent

    Les pronoms sujet et COD représentent la même personne.

- Le pronom est toujours devant le verbe principal.
  Ils se lèvent tôt. ~ Ils se sont levés tôt.

> **!**
> - À l'impératif :
>   - affirmatif ➤ Le pronom est **après** le verbe.
>   *Lève-toi ! Levez-vous !*
>   - négatif ➤ Le pronom est **avant** le verbe.
>   *Ne te lève pas trop tard !*
> - Attention avec deux verbes, l'infinitif pronominal a un pronom à la même personne que le sujet du verbe principal.
>   *Je déteste me lever tôt.*
>   *Elle aime s'habiller chez Gap.*
>   *Nous allons nous promener.*

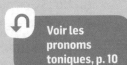

Voir les pronoms toniques, p. 10

Emplois

- Quelques verbes sont uniquement pronominaux.
  se méfier ~ se souvenir ~ se suicider...

- Certains verbes pronominaux ont une valeur réciproque.
  Carla et Stefano s'adorent, ils s'embrassent toute la journée !
  Karen et Elsa ne se disputent jamais,
  mais leurs frères se battent tout le temps.

> **Au passé composé, tous les verbes pronominaux se conjuguent avec l'auxiliaire être.**
>
> *Elles se sont levées très tôt.*

A1 **1** **Mets le texte à la 1ʳᵉ personne du pluriel (nous).**

La semaine, le matin, je me réveille à 7h. Je me lève, je déjeune et je me douche. Après, je m'habille. Je me dépêche parce que le bus scolaire n'attend pas !
Le vendredi soir, je me couche tôt parce que le samedi matin, à 8h, je m'entraîne au stade. Le samedi soir, je m'amuse avec des copains et je me couche plus tard. Alors, le dimanche, je me lève à midi !

....

....

....

....

🔊 23 **A2** **2** **Écoute les phrases et indique le numéro de la réponse qui correspond.**

a. Huit heures. Lève-toi !   ➜ ⬭

b. Alors, couche-toi tôt ce soir.   ➜ ⬭

c. Soigne-toi, va voir un médecin !   ➜ 1

d. Oui, habille-toi chaudement !   ➜ ⬭

e. Bravo ! Maintenant, repose-toi !   ➜ ⬭

f. Oui, dépêchons-nous !   ➜ ⬭

A2 **3** **Le verbe est pronominal ou non ? Coche la bonne réponse.**

	verbe non pronominal	verbe pronominal
a. Nous nous retrouvons à quelle heure ?		✓
b. J'ai rencontré Isis en 2013.		
c. Tu t'appelles comment ?		
d. Nous vous connaissons bien.		
e. On se promène dans la forêt.		
f. Vous vous êtes bien amusés hier ?		
g. Tu me donnes ton numéro de portable ?		
h. Ils ne me disent pas bonjour.		
i. Ils se sont rencontrés à Marseille.		
j. Je t'aime beaucoup !		

5.4 Les verbes *partir, finir, mettre* et *lire*

Ces verbes se construisent à partir de deux bases.

Les verbes en *-ir* comme :

Partir   [+t]

Je pars [paʀ]	Nous partons [paʀtõ]
Tu pars [paʀ]	Vous partez [paʀte]
Il/Elle/On part [paʀ]	Ils/Elles partent [paʀt]

Bases : *par-* et *part-*

(Les verbes **sortir**, **dormir**, **servir** se conjuguent comme **partir**.)

> Le verbes **suivre** et **vivre** se conjuguent comme **partir**, même s'ils finissent en *-re*.
> *Je suis des cours d'anglais tous les soirs.*
> *Je vis à Toulouse.*

Finir   [+s]

Je finis [fini]	Nous finissons [finisõ]
Tu finis [fini]	Vous finissez [finise]
Il/Elle/On finit [fini]	Ils/Elles finissent [finis]

Bases : *fini-* et *finiss-* (On double la consonne.)

(Les verbes **choisir**, **grandir**, **grossir**, **maigrir**, **obéir**, **réussir**... se conjuguent comme **finir**.)

Les verbes en *-re* comme :

Mettre   [+t]

> Voir construction des verbes p. 129-132

Je mets [mɛ]	Nous mettons [metõ]
Tu mets [mɛ]	Vous mettez [mete]
Il/Elle/On met [mɛ]	Ils/Elles mettent [mɛt]

Bases : *met-* et *mett-* (On double la consonne.)

(Les verbes **permettre**, **promettre** et **admettre** se conjuguent comme **mettre**.)

Lire   [+z]

Je lis [li]	Nous lisons [lizõ]
Tu lis [li]	Vous lisez [lize]
Il/Elle/On lit [li]	Ils/Elles lisent [liz]

Bases : *li-* et *lis-*

(Les verbes **interdire** et **construire** se conjuguent comme **lire**.)

24

A1 **1** **Qu'est-ce que tu entends ? Entoure la bonne réponse.**

a. Il sort à six heures. / Ils sortent à six heures.

b. Il met un manteau. / Ils mettent un manteau.

c. Elle sort très tard. / Elles sortent très tard.

d. Elle finit le stage samedi. / Elles finissent le stage samedi.

e. Elle réussit très bien les examens. / Elles réussissent très bien les examens.

f. Il part demain. / Ils partent demain.

g. Il connaît les États-Unis. / Ils connaissent les États-Unis.

h. Elle écrit dans un blog. / Elles écrivent dans un blog.

A1 **2** **Mets au pluriel comme dans l'exemple.**

Je connais Natacha ! → *Nous connaissons Natacha !*

a. Elle sort de chez elle à 8h. → Elles _____ .

b. Je pars à la plage. → Nous _____ .

c. Tu dors beaucoup ou pas ? → Vous _____ ?

d. Je sors ce soir. → Nous _____ .

e. Il choisit un nouveau portable. → Ils _____ .

f. Tu sors avec qui ce soir ? → Vous _____ ?

g. Tu promets de rester à la maison ? → Vous _____ ?

h. Elle finit la journée très fatiguée. → Elles _____ .

A1 **3** **Complète avec les verbes *partir* (x2), *mettre*, *finir*, *sortir* (x2), *obéir*, *connaître*. Conjugue-les.**

a. - Dimanche prochain, je _____ à Venise !

- Tu _____ avec qui ?

- Tout seul. Et toi, tu _____ Venise ?

- Non, je ne suis jamais allé en Italie. Tu as de la chance !

b. Elle commence ses cours à 8h et elle _____ le collège à 15h.

c. - Ce week-end, je _____, je suis invitée à l'anniversaire de Julie.

- Super ! Qu'est-ce que tu _____ comme robe ?

- Une robe noire, je crois.

d. - Fabrice, _____ de ta chambre immédiatement ! Et vite !

- Oh la la...

- Mais enfin ! Pourquoi tu n' _____ jamais ? Écoute-moi !

A2 **4** **Relie.**

a. Tu connais Carina ?

b. D'où elle vient ?

c. Je sors le gâteau quand ?

d. Tu finis à quelle heure ?

e. D'où tu sors, avec les cheveux mouillés ?

f. Tu mets un bonnet ?

g. Tu écris souvent à ta correspondante ?

1. De la piscine.

2. Non. Qui est-ce ?

3. Oh non, je n'ai pas froid.

4. Oui, deux fois par mois.

5. Sors-le du four dans vingt minutes.

6. Tard. À huit heures.

7. Des États-Unis, je crois.

a	b	c	d	e	f	g

5.5 Les verbes *venir*, *prendre*, *dire* et *faire*

Les verbes **venir** et **prendre** / **dire** et **faire** se construisent à partir de trois bases.

Venir

Je viens [vjɛ̃]	Nous venons [vənɔ̃]
Tu viens [vjɛ̃]	Vous venez [vəne]
Il/Elle/On vient [vjɛ̃]	Ils/Elles viennent [vjɛn]

Bases : **vien-** , **ven-** et **vienn-**

(Les verbes **devenir**, **intervenir**, **tenir**, **obtenir**, **appartenir** et **parvenir** se conjuguent comme **venir**.)

Prendre

Je prends [pʀɑ̃]	Nous prenons [pʀənɔ̃]
Tu prends [pʀɑ̃]	Vous prenez [pʀəne]
Il/Elle/On prend [pʀɑ̃]	Ils/Elles prennent [pʀɛn]

Bases : **prend-** , **pren-** et **prenn-**

(Les verbes **apprendre**, **comprendre**, **surprendre** se conjuguent comme **prendre**.)

Dire

Je dis [di]	Nous disons [dizɔ̃]
Tu dis [di]	Vous dites [dit]
Il/Elle/On dit [di]	Ils/Elles disent [diz]

Bases : **di-** , **dit-** et **dis-**

(Les verbes **interdire** et **prédire** se conjuguent comme **dire**.)

Faire

Je fais [fɛ]	Nous faisons [fəzɔ̃]
Tu fais [fɛ]	Vous faites [fɛt]
Il/Elle/On fait [fɛ]	Ils/Elles font [fɔ̃]

Certains verbes comme **faire** ont des formes très différentes au présent.
Le verbe **faire** a une double irrégularité : la 2ᵉ personne du pluriel est irrégulière (*vous faites*) et la 3ᵉ personne du pluriel n'est pas en **-ent** mais en **-ont** (*ils font*).

(Les verbes **défaire**, **satisfaire** se conjuguent comme **faire**.)

Aller ≠ Venir
Aller : on part du point *a* (celui de la personne qui parle).
Venir : on part du point *b* (celui de la personne à qui on parle).
- *Tu viens chez moi ou je vais chez toi ?*
- *Non, je vais chez Suzy. Tu viens avec moi ?*

Voir "venir de" + infinitif, p. 80

Voir construction des verbes, p. 129-132

A1 **1** **Mets au pluriel. Attention aux phrases _h_, _i_ et _j_.**

a. Je viens au collège en métro. ➔ Nous _____ .

b. Qu'est-ce que tu prends comme dessert ? ➔ Qu'est-ce que vous _____ ?

c. Il prend une glace ou un fruit ? ➔ Ils _____ ?

d. Je prends toujours l'autoroute E12. ➔ Nous _____ .

e. Elle dit la vérité ! ➔ Elles _____ !

f. Qu'est-ce que tu dis ? ➔ Qu'est-ce que vous _____ ?

g. Elle fait du VTT tous les samedis. ➔ Elles _____ .

h. Je fais mes devoirs après le dîner. ➔ Nous _____ .

i. Tu fais tes devoirs le soir ? ➔ Vous _____ ?

j. Cette moto fait du 200 km/h ! ➔ Ces motos _____ !

◁)) **A1** **2** **Écoute et entoure le verbe correct.**
25

a. - Qu'est-ce que tu fais / tu mets dimanche ?

- J'ai un match de tennis très important.

b. Je ne viens pas / ne vais pas à Paris.

c. On va en / prend le bus ou on y va en vélo ?

d. N'oublie pas de prendre / mettre ton passeport dans ton sac.

e. De chez moi à chez Eric, ça fait / je mets dix minutes.

f. Mon frère est super grand, il fait / il a 1,80 m.

g. Pour aller à la piscine, c'est / prenez la deuxième rue à droite. Après, c'est tout droit.

A2 **3** **Complète avec le verbe qui convient : _faire_, _venir_ ou _prendre_.**

a. - Qu'est-ce que tu _____ ce matin ?

- Ce matin ? Je vais à la piscine, et après je retrouve mes copains au parc.

Tu _____ avec moi ?

b. - Il _____ froid ou chaud aujourd'hui ?

- Il _____ très froid.

- Alors, je ne _____ pas mon vélo, je vais _____ le métro.

c. - Steve, tu peux m'aider ?

- Pourquoi ?

- Pour _____ le ménage. Moi, je n'ai pas le temps.

- D'accord. Mais toi, tu _____ la vaisselle. Moi, je déteste ça.

d. - Pour aller de Rome à Paris, tu _____ le train ou l'avion ?

- Je _____ l'avion. Ma mère _____ me chercher à

l'aéroport.

e. - Stella, tu _____ avec moi ? Je vais _____ des courses.

- D'accord. On _____ la voiture ou on y va en bus ?

- En bus. _____ un parapluie, il pleut.

f. - Vous _____ à quelle heure demain ? Vous _____ le bus ?

- Non, je vais _____ à pied. Il va _____ très beau !

soixante et onze **71**

LE VERBE : CONJUGAISON ET EMPLOIS

5.6 Les verbes modaux : *pouvoir, savoir* et *vouloir*

Les verbes **pouvoir**, **savoir** et **vouloir**, comme **devoir**, sont des verbes de modalité. Ils donnent des informations sur l'intention de la personne qui parle.

Pouvoir

Je peux [pø]	Nous pouvons [puvɔ̃]
Tu peux [pø]	Vous pouvez [puve]
Il/Elle/On peut [pø]	Ils/Elles peuvent [pœv]

 Voir l'obligation, p. 74

3 Bases : **peu-** , **pouv-** et **peuv-**

Emplois

- *avoir la permission de..., avoir l'autorisation de...*
  Je peux sortir un peu plus tôt aujourd'hui, s'il vous plaît ?

- *être capable de faire quelque chose*
  Tu peux faire ce travail tout seul ou tu as besoin d'aide ?

- *possibilité, éventualité*
  Tu peux être là à huit heures ? C'est possible ?

Savoir

 Voir la construction des verbes, p. 129-132

Je sais [se]	Nous savons [savɔ̃]
Tu sais [se]	Vous savez [save]
Il/Elle/On sait [se]	Ils/Elles savent [sav]

2 Bases : **sai-** , **sav-**

Emplois

- **savoir** + nom ou infinitif ➔ avoir appris quelque chose
  Tu sais ta leçon pour demain ?
  Il sait très bien nager.

- **savoir que...** ➔ être informé de quelque chose
  Tu sais que demain est un jour férié ?

> Le verbe **connaître** est toujours suivi d'un nom de personne ou de chose.
> Il n'est jamais suivi de **que**.
> *Je connais bien les parents de Julie.*
> *Tu connais ce livre ?*

Vouloir

Je veux [vø]	Nous voulons [vulɔ̃]
Tu veux [vø]	Vous voulez [vule]
Il/Elle/On veut [vø]	Ils/Elles veulent [vœl]

3 Bases : **veu-** , **voul-** et **veul-**

Emplois

- **vouloir** + nom ou infinitif ➔ *désirer, avoir envie de, avoir besoin de*
  Je voudrais deux kilos d'oranges, s'il vous plaît.
  Vous voulez dîner dehors ou dans la salle ?

1 **Entoure ce que tu entends.**

a. Il peut venir ? / Ils peuvent venir ?

b. Je veux sortir ! / On veut sortir !

c. Elle veut voyager. / Elles veulent voyager.

d. Vous savez tout ! / Nous savons tout !

e. Vouloir, c'est pouvoir ! / Savoir, c'est pouvoir !

f. Tu peux, oui ou non ? / Tu veux, oui ou non ?

2 **Conjugue le verbe.**

a. Nous ne _____ pas aller au marché trop tard. (vouloir)

b. Vous _____ fermer la porte, s'il vous plaît ? (pouvoir)

c. - Je _____ venir avec toi à la patinoire ? (pouvoir)

   - Bien sûr, si tu _____, viens ! (vouloir)

d. - Diana, tu _____ m'expliquer cet exercice ? (pouvoir)

   - Oui, je _____ bien. Tu vas voir, c'est facile ! (vouloir)

e. - Tu _____ nager ? (savoir)

   - Un peu. Je _____ faire 50 mètres mais c'est tout ! (pouvoir)

3 **Dans les phrases suivantes, *pouvoir* a des usages différents :**
avoir l'autorisation de (A), avoir la capacité de (C), être une possibilité (P).
Coche la bonne réponse.

	A	C	P
a. Vous pouvez venir à 13h30 ?			✓
b. Il peut courir le 100 mètres en 10 secondes.			
c. On peut sortir, s'il vous plaît ?			
d. Une faute d'orthographe, ça peut arriver à tout le monde !			
e. Si tu as fini ton travail, tu peux sortir !			

4 ***Pouvoir, vouloir* ou *savoir* ? Choisis le verbe qui convient le mieux**
et conjugue-le.

a. Maman, on _____ aller au MacDo ce soir ?

   - Non, pas ce soir ! Tu _____ bien que ta grand-mère vient dîner. C'est
   impossible ! Mais si tu _____, on _____ y aller demain.

b. - Tu _____ venir au ciné avec moi ? Je vais voir *American Nightmare*.

   - C'est un film d'horreur, non ? Ah non ! Jamais ! Je ne _____ pas
   supporter ça. J'ai trop peur.

c. - Tu _____ faire des crêpes Suzette ?

   - Non, pas du tout ! Je ne connais pas la recette. Mais je _____ regarder
   sur Internet si tu _____ .

5.7 L'obligation : *devoir* et *il faut*

Devoir

Je dois [dwa]	Nous devons [dəvɔ̃]
Tu dois [dwa]	Vous devez [dəve]
Il/Elle/On doit [dwa]	Ils/Elles doivent [dwav]

3 Bases : **doi-** , **dev-**, **doiv-**

Emplois

- **devoir** + infinitif ➜ obligation personnelle
  Je dois absolument finir ce travail.

- **on doit** + infinitif ➜ obligation générale
  Pour réussir l'examen, on doit avoir 10/20.

 Remarque : Le verbe **devoir** (+ infinitif) a aussi, quelquefois, un sens tout à fait différent. Il peut exprimer la probabilité.
John est absent. Il doit être malade.
(= Il est peut-être malade, probablement malade.)

Il faut

Falloir est un verbe impersonnel. Il n'a qu'une seule forme, la 3ᵉ du singulier, et le sujet est le **il** impersonnel. Il exprime une nécessité ou une obligation générale ou impersonnelle.

Emplois

- **Il faut** + nom ➜ nécessité, ce qui est nécessaire pour faire quelque chose
  Pour faire un bon tiramisu, il faut du cacao, du sucre...

- **Il faut** + infinitif ➜ obligation générale
  Pour réussir l'examen, il faut avoir 10/20.

À la forme négative

On utilise **devoir** et **il faut** pour exprimer l'interdiction, la défense.
Tu ne dois pas te mettre en colère sans raison.

Il ne faut pas marcher sur les pelouses. ➜ On peut dire aussi :
On ne doit pas marcher sur les pelouses.

Rappel : on utilise aussi l'impératif pour exprimer l'ordre ou la défense.
Taisez-vous ! (= Vous devez vous taire !)
Ne dites rien ! (= Vous ne devez rien dire !)

 Voir l'impératif, p. 82

* A1 **1** **Que signifient ces panneaux ? Écris la légende. Utilise :** *on doit / on ne doit pas* **ou** *il faut / il ne faut pas* **+ infinitif.**

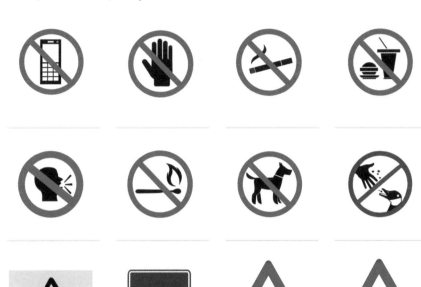

* A2 **2** **Conjugue le verbe** *devoir.* **Indique si le verbe indique une dette (D), une obligation (O) ou une probabilité (P). Coche la bonne réponse.**

	D	O	P
a. - On vous _____ combien ? - Alors... 12,50 + 4,30 + 10,90... Vous me _____ 29,70 euros. - Excusez-moi, mais vous _____ faire une erreur. Ça fait 27,70 euros, je crois. - Mais oui, bien sûr ! Je suis désolé ! Excusez-moi !			
b. - Pourquoi tu te dépêches ? - Ma mère et moi, nous _____ être à la gare à midi. - Alors, tu passes me voir demain après les cours ? - Impossible ! Demain, je _____ aller chercher ma sœur au judo.			
c. - Tu as vu Kate ce matin ? - Non, elle n'est pas encore là. Elle _____ être dans les embouteillages. Tu la cherches pourquoi ? - Je lui _____ 200 euros et je _____ absolument lui rendre aujourd'hui. Je lui ai promis !			

LE VERBE : CONJUGAISON ET EMPLOIS

5.8 Les formes impersonnelles

Dans les verbes impersonnels, le sujet est toujours *il* et ne renvoie à personne.
Le verbe est toujours au singulier même si le vrai sujet est pluriel.

> *Il y a une dame qui vous demande. ~ Il y a 65 millions d'habitants en France.*

Il y a

- **Il y a** + nom de personne ou de chose signale que quelqu'un ou quelque chose existe.

    Dans ma classe, il y a 12 filles et 12 garçons.
    Qu'est-ce qu'il y a comme dessert ?

- **Il y a** + durée indique un moment du passé par rapport au présent.

    Je suis allé à Paris il y a deux ans.

Voir :
- → les présentatifs, p. 16
- → se situer dans le temps, p. 92

Il fait

- **Il fait** + adjectif ou température.
    En général, on parle du temps qu'il fait, de météo.

    Aujourd'hui, il fait très beau, mais hier il faisait froid.
    Il fait beau, mauvais, gris... / Il fait chaud, il fait froid... / Il fait 40°, -10°...

- **Il fait** + nom (jour, nuit).
    En décembre, il fait nuit à cinq heures de l'après-midi.

Il pleut, il neige...

> *En janvier et février, il neige. En mars et en novembre, il pleut beaucoup.*

Il est + heure

Il est huit heures. J'ai faim.

- Dépêchons-nous ! *Il est tard, il est l'heure de partir.*
- Mais non, *il est tôt, on a le temps.*

> Attention :
>
> **il est une heure, il est deux heures...** : le verbe reste au singulier.

Il faut + nom ou infinitif

> *Pour être champion de surf, il faut du courage, de l'énergie et un bon matériel.*
> *Pour être champion de surf, il faut s'entraîner très régulièrement.*

Le démonstratif neutre *ça*

Comme *il*, le mot **ça** n'a pas de sens précis. Il est toujours suivi d'un verbe au singulier. Il entre dans beaucoup d'expressions courantes.

> *Bonjour. Comment ça va, les enfants ?*
> *Stop ! Ça suffit !*
> *Hummm... Ça sent bon !*
> *Ça y est ! J'ai trouvé la solution !*

A1 **1** **Écris la légende qui correspond à ces photos. Utilise un verbe impersonnel.**

a. _____

b. _____

c. _____

d. _____

e. _____

f. _____

A1 **2** **Complète avec le verbe impersonnel qui convient : il y a / il fait / il est / il faut.**

_____ sept heures du matin. J'ouvre la fenêtre. _____

jour et _____ déjà un joli soleil. _____ très beau

ce matin et c'est normal : nous sommes le 15 juillet et je suis en vacances en

Corse ! En Corse, _____ chaud pendant l'été. Je me dépêche de

me lever : _____ profiter de la plage avant l'arrivée des touristes.

_____ beaucoup de touristes dans cette île ! Dring, dring... Mon portable

sonne. C'est mon copain Matéo. Il est à Paris et il me dit qu'_____ froid.

Pauvre Matéo !

A1 **3** **Dans les phrases suivantes, le verbe est impersonnel ou non ?**
Souligne les verbes impersonnels.

a. Il y a deux ans, il a fait un voyage au Canada.

b. Il ne connaît pas tous les élèves de son lycée.

c. Il fait très beau aujourd'hui, mais attention ! Demain, il va pleuvoir !

d. Il est cinq heures et il fait déjà nuit.

e. Il a fait très chaud hier et il a passé la journée à la plage.

f. Qu'est-ce qu'il faut acheter ? Il y a encore des fruits ?

g. Il est tard ! Lève-toi !

h. J'ai des nouvelles de Pierre. Au Canada, il neige depuis hier et il a très froid. Il fait moins vingt degrés et il ne supporte pas le froid.

Bilan

A1 **1** **Conjugue le verbe entre parenthèses au présent.**

a. Pardon, monsieur, vous _____ (pouvoir) m'aider, s'il vous plaît ?

b. Ce matin, il _____ (faire) très beau. On _____ (aller) se promener ?

c. Désolé, Laura, vous ne _____ (savoir) pas votre leçon !

d. - Qu'est-ce que vous _____ (faire) ce soir ?

- Nous _____ (devoir) terminer notre travail pour demain.

On ne _____ (pouvoir) pas sortir.

A1 **2** **Mets au pluriel.**

a. Tu te promènes. → Vous _____ .

b. Tu te dépêches ? → Vous _____ ?

c. Je m'amuse beaucoup. → Nous _____ .

d. Lève-toi vite ! → _____ !

e. Ne te fatigue pas trop ! → Ne _____ !

A2 **3** **Mets les accents qui manquent (si c'est nécessaire).**

a. - Qu'est-ce que vous achetez aujourd'hui ?

- J'achete du poisson pour moi. Mon mari prefere la viande.

b. Je repete la consigne : il faut completer la phrase avec un adjectif.

c. - Vous vous levez à quelle heure le samedi ?

- Moi, je me leve à huit heures, ma sœur se leve plus tard, vers neuf heures.

A2 **4** **Choisis le verbe qui convient et conjugue-le si c'est nécessaire.**

a. Il _____ être / faire très froid ce matin.

Il faut _____ faire / mettre ton manteau.

b. - Tu _____ vouloir / prendre le bus pour aller au collège ?

- Non, je _____ aller / préférer en voiture avec mon père.

Il m'accompagne tous les matins.

c. - Je _____ devoir / vouloir absolument faire ce travail pour demain.

- Je _____ pouvoir / savoir t'aider si tu _____ mettre / vouloir.

A2 **5** **Pour faire une bonne *panna cotta*, qu'est-ce qu'il faut comme ingrédients ? Cherche sur Internet et écris la recette.**

Ingrédients	*Préparation*
Il faut (+ nom des ingrédients et quantités) :	*Il faut* (+ verbes à l'infinitif) :
- _____	1 _____
- _____	2 _____
- _____	3 _____
- _____	4 _____
- _____	5 _____

78 soixante-dix-huit

6 LE VERBE : TEMPS ET MODE

Nous aborderons d'abord les principaux temps du français ainsi qu'un mode, l'impératif. Nous examinerons ensuite comment exprimer l'idée de temps.

1. Le présent de l'indicatif

2. L'impératif affirmatif et négatif

3. Le futur proche et le futur simple

4. Le passé composé (1)

5. Le passé composé (2)

6. L'imparfait

7. Se situer dans le temps

8. Bilan

LE VERBE : TEMPS ET MODE

6.1 Le présent de l'indicatif

Forme

Nous avons vu, dans l'unité 5, certaines formes particulières du présent en ce qui concerne les verbes du premier groupe terminés en **-er**. Puis, nous avons passé en revue certains verbes très fréquents dont la conjugaison est difficile car irrégulière (**aller**, **venir**, **pouvoir**, **savoir**, **devoir**...). Examinons maintenant les valeurs et emplois du présent.

Emplois

 Voir conjugaison, p. 125-128

Le présent peut exprimer :

- une action qui se passe au moment où on parle
    - *Qu'est-ce que tu fais ? - Je travaille !*
    - *Où sont les enfants ? - Ils sont dans le jardin, ils jouent.*

> **!**
>
> - Le présent progressif : pour exprimer qu'une action se passe exactement au moment où on parle, on utilise la locution ➜ **être en train de** + infinitif.
>   - *Les élèves sont là ?*
>   - *Oui, regarde, ils sont en train d'arriver.*
>
> - Le passé récent : pour signifier qu'une action ou un fait vient juste de se terminer, on utilise ➜ **venir de** + infinitif.
>   - *Monsieur Leroy est là ?*
>   - *Désolée, il vient juste de sortir.*

- une situation, un fait, un état ou une description
    Lila est une élève de ma classe. Elle est très sympa.
    Nous nous amusons beaucoup ensemble.
    Elle adore rire et moi aussi !
    Elle a exactement le même âge que moi : treize ans.

- une habitude, une généralité, une vérité
    - *Tu sais que les Français mangent plus de pizzas que les Italiens ?*
    - *C'est vrai. Ils en mangent deux ou trois fois par semaine.*
    - *Mais la pizza, c'est italien !*

- un futur très proche du moment présent
    - *Alicia ! Qu'est-ce que tu fais ? Tu viens, oui ou non ?*
    - *Une minute ! J'arrive !*

- un conseil ou un ordre
    - *Qu'est-ce que je peux dire à mon père ?*
    - *Tu ne lui dis rien ! Tu te tais !*

1 **Complète avec le verbe proposé. Conjugue-le.**

a. - Allez, Véro, il _____ (être) huit heures, on

_____ (dîner). Tu _____ (ranger) tes affaires

et tu _____ (venir) à table.

- J' _____ (avoir) beaucoup de travail. Je _____ (pouvoir)

dîner plus tard ?

- Ah, non ! On _____ (dîner) ensemble ! Le dîner en famille,

c' _____ (être) sacré !

- Oh la la, maman, tu _____ (exagérer) !

b. - Ce soir, on _____ (passer) un bon film à la télé. On le

_____ (regarder) ?

- D'accord, si tu _____ (vouloir).

c. - Vous _____ (partir) à quelle heure ?

- Je ne _____ (savoir) pas encore. Je _____ (croire) que

nous _____ (partir) vers midi.

2 **Enquête avec Bastien, 32 ans. Écoute et indique la réponse qui correspond. Tu peux écouter le document plusieurs fois.**

a. Qu'est-ce que vous faites dans la vie ? ➜ ☐

b. Vous êtes sportif ? ➜ ☐

c. Où vous passez vos vacances ? ➜ ☐

d. Vous préférez l'été ou l'hiver ? ➜ ☐ 1

e. Quelle est votre qualité principale ? ➜ ☐

f. Et votre principal défaut ? ➜ ☐

g. Vous aimez les animaux ? ➜ ☐

h. Vous êtes marié ? ➜ ☐

3 **Quelle est la valeur du présent dans les phrases suivantes ? Action présente ? Généralité ? Description ? Futur immédiat ? Ordre ou conseil ?**

a. Regarde ! Lisa embrasse Lucas ! ➜ _____

b. Je suis là dans cinq minutes. Attends-moi ! ➜ _____

c. Au Québec, on parle français et anglais. ➜ _____

d. Le soleil brille, il fait un temps magnifique. ➜ _____

e. Mal à la tête ? Tu prends deux aspirines dans un grand verre d'eau. ➜ _____

6.2 L'impératif affirmatif et négatif

L'impératif affirmatif

Forme

L'impératif a les mêmes formes que le présent de l'indicatif.

Tu descends / Descends ! ~ Nous écoutons / Écoutons ! ~ Vous lisez / Lisez !

Mais l'impératif n'a pas de pronom sujet et il a seulement trois personnes :
la 2e du singulier (**tu**), et les deux premières du pluriel (**nous**, **vous**).

Regarde ! Regardons ! Regardez !
Attends le bus ! Attendons le bus ! Attendez le bus !

> **!**
>
> Attention à l'orthographe :
> | *Tu regardes* | mais | *Regarde !* (sans **-s** final) |
> | *Tu vas* | mais | *Va !* (sans **-s** final sauf pour « *Vas-y !* ») |

- À l'impératif affirmatif, le pronom est après le verbe. N'oublie pas le trait d'union.
  Attention, pour les deux premières personnes, on utilise les pronoms toniques :
  Regarde-moi ! Dépêche-toi !
  Allez, debout ! Levez-vous ! Dépêchez-vous !

Emplois

On utilise l'impératif pour donner :

- un ordre, une demande, une instruction
  *Natacha, assieds-toi et jette ce chewing-gum
  immédiatement !*

- un conseil, une invitation, une suggestion
  Va voir ce film, tu vas adorer !
  Installez-vous ici, vous serez à l'ombre.

*Ne bois pas trop de café,
tu sais bien que ce n'est
pas très bon pour le cœur.*

L'impératif négatif

Forme

On forme l'impératif négatif avec **ne** + verbe au présent (sans pronom sujet) + **pas**.
Comme pour l'impératif affirmatif, il n'y a que trois personnes (**tu**, **nous**, **vous**) :

Ne pars pas ! Ne partons pas ! Ne partez pas !

À l'impératif négatif, le pronom est entre le **ne** et le verbe. Attention, dans ce cas,
on n'utilise pas les pronoms toniques **moi** et **toi** :

Ne me regarde pas ! Ne te dépêche pas !
Ne vous inquiétez pas, tout va bien se passer !

Emplois

On utilise l'impératif négatif pour exprimer en général une interdiction :

Ne reste pas dehors, il pleut ! Ne te couche pas trop tard !
Ne faites pas de bruit, le bébé dort !

6.2 L'impératif affirmatif et négatif

1 **Complète avec les deux autres formes de l'impératif comme dans l'exemple.**

Viens ! → *Venons !* → *Venez !*

a. _____ ! → Regardons ce film ! → _____ !

b. Pars ! → _____ ! → _____ !

c. Écoute-la ! → _____ ! → _____ !

d. _____ ! → _____ ! → Décidez-vous !

e. _____ ! → Dépêchons-nous ! → _____ !

f. Lève-toi ! → _____ ! → _____ !

g. _____ ! → _____ ! → Offrez-lui un cadeau !

2 **Associe.**

a. J'ai faim !

b. Je peux venir avec vous ?

c. Je prends combien de croissants ?

d. J'ai froid.

e. J'ai mal au dos.

f. Je veux perdre dix kilos.

1. Prends-en quatre.

2. Mets une écharpe ou un pull.

3. Allonge-toi, ça ira mieux.

4. Mais oui, viens !

5. Arrête le chocolat et le soda.

6. Mange une pomme ou une banane.

a	b	c	d	e	f

3 **Mets à l'impératif négatif comme dans l'exemple.**

Sors ! → *Ne sors pas !*

a. Venez tout de suite ! → _____

b. Prenons le train de nuit. → _____

c. Prends l'ascenseur ! → _____

d. Va au cinéma. → _____

4 **Écoute ces phrases. C'est un ordre, un conseil ou une interdiction ? Coche la bonne réponse.**

	ordre	conseil	interdiction
a.			✓
b.			
c.			
d.			
e.			
f.			

LE VERBE : TEMPS ET MODE

6.3 Le futur proche et le futur simple

Le futur proche

Forme

On forme le futur proche avec le verbe **aller** au présent + infinitif.

> **Partir**
> Je vais partir   Nous allons partir
> Tu vas partir   Vous allez partir
> Il/Elle/On va partir Ils/Elles vont partir

Emplois

On utilise le futur proche :

- pour une action qui va se réaliser très bientôt ou même presque immédiatement
  Nous allons acheter une nouvelle tablette tactile demain.
  Regarde le ciel ! Il va pleuvoir.

- pour une action future presque certaine, un projet, ou pour un changement programmé
  L'année prochaine, je vais m'inscrire à des cours de guitare.
  Notre bébé va naître vers le 15 septembre.

Le futur simple

Forme

C'est une « forme en -*r* » : dans toutes les formes du futur simple, on trouve le -*r*.

- Si le verbe se termine par un -*r* (**manger**, **partir**, **sortir**...), on ajoute : -*ai*, -*as*, -*a*, -*ons*, -*ez*, -*ont*.
  je partirai, tu partiras, il partira, nous partirons, vous partirez, ils partiront

- Si le verbe se termine par -*re* (**dire**, **boire**, **croire**, **mettre**, **entendre**...), on supprime le -*e* final et on ajoute les mêmes terminaisons : -*ai*, -*as*, -*a*, -*ons*, -*ez*, -*ont*.
  je dirai, tu diras, il dira, nous dirons, vous direz, ils diront

Il y a beaucoup de **verbes irréguliers** :

> **aller** → j'irai, tu iras, il ira...   **avoir** → j'aurai, tu auras, il aura...
> **être** → je serai, tu seras, il sera...   **faire** → je ferai, tu feras, il fera...
> **pouvoir** → je pourrai, tu pourras, il pourra **savoir** → je saurai, tu sauras, il saura...
> **envoyer** → j'enverrai, tu enverras, il enverra **venir** → je viendrai, tu viendras, il viendra...
> **voir** → je verrai, tu verras, il verra...   **vouloir** → je voudrai, tu voudras, il voudra...

Emplois

On utilise le futur simple :

- pour prédire un événement dans un avenir un peu lointain
  Il arrêtera de travailler dans quinze ans.

- pour parler d'un événement futur sans préciser la date
  Je pense qu'elle finira par comprendre la situation. (Quand ? On ne sait pas.)

- pour promettre ou garantir quelque chose

Dans tous les cas, il y a une part d'incertitude. Comme on parle d'événements ou de projets à venir, on ne sait pas s'ils vont se réaliser vraiment, mais on pense qu'il y a une forte probabilité pour que cela arrive.

★★ A1 **1** **Mets le verbe au futur proche.**

a. Attention, attention, le train 2011 en provenance de Paris _____
   entrer   en gare voie 16.

b. Aujourd'hui, grand soleil. Mais demain, les nuages _____   arriver
   par l'ouest.

c. L'été prochain, Sara et moi, nous _____   commencer   à étudier
   le russe.

d. Alors, ce bébé, c'est pour quand ?
   - Normalement, il _____   naître   début janvier.

e. Regarde ces garçons sur leur moto ! Ils sont fous ! Ils _____   se faire
   mal !

◁)) **★★ A2** **2** **Écoute ces phrases. Elles sont au futur. Écris le verbe**
29   **et donne l'infinitif qui correspond.**

a. tu _____ / infinitif ➜ _____
b. nous _____ / infinitif ➜ _____
c. il _____ / infinitif ➜ _____
d. je _____ / infinitif ➜ _____
e. je ne _____ pas / infinitif ➜ _____
f. il _____ / infinitif ➜ _____

★★ A2 **3** **Dans ces phrases, l'action est au présent, au futur proche**
ou au futur simple ? Coche la bonne réponse.

		présent	futur proche	futur simple
a.	- Écoute ! Midi sonne.	✓		
	- Super, on va manger bientôt !			
b.	- Vous allez partir quand ?			
	- Pas maintenant ! Nous partirons à Noël.			
c.	- On va se baigner ?			
	- Non, je reste un peu au soleil.			
	- Je me baignerai demain.			

★★ A2 **4** **Futur simple ou futur proche ? Entoure la bonne réponse.**

a. Attention, attention ! Le train 2023 entrera / va entrer en gare voie numéro 8.

b. Quand je serai / vais être vieux, je vivrai / vais vivre à la campagne.

c. - Qu'est-ce que tu feras / vas faire après tes études ? Tu as une idée ?
   - C'est dans trop longtemps ! Je ne sais pas du tout !

d. La météo annonce que cette nuit, il neigera / va neiger.

e. On pense que dans trente ans, le climat sera / va être plus chaud que maintenant.

LE VERBE : TEMPS ET MODE

6.4 Le passé composé (1)

Forme

Le passé composé se forme avec l'auxiliaire **avoir** ou avec l'auxiliaire **être** au présent et un participe passé.

A. Les passés composés construits avec l'auxiliaire **avoir** + participe passé sont les plus nombreux.

> **Comprendre**
> J'ai compris   Nous avons compris
> Tu as compris   Vous avez compris
> Il/Elle/On a compris   Ils/Elles ont compris

Forme négative
➜ *Je n'ai pas compris, tu n'as pas compris, il n'a pas compris...*

B. Les passés composés construits avec l'auxiliaire **être** + participe passé sont moins nombreux, mais ce sont des verbes que l'on utilise très souvent. Ce sont :

- quinze verbes qui indiquent en général une idée de déplacement :
  aller/venir (et revenir) ~ retourner ~ devenir ~ arriver/partir (et repartir) ~ (r)entrer/sortir ~ monter/descendre ~ passer ~ tomber ~ rester ~ naître/mourir

> **Venir**
> Je suis venu(e)   Nous sommes venu(e)s
> Tu es venu(e)   Vous êtes venu(e)s
> Il/Elle/On est venu(e)(s)   Ils/Elles sont venu(e)s

Forme négative
➜ *Je ne suis pas venu(e), tu n'es pas venu(e), il n'est pas venu...*
   Je ne me suis pas levé(e), tu ne t'es pas levé(e), il ne s'est pas levé...

- tous les verbes pronominaux :
  se lever ~ se dépêcher ~ s'habiller ~ se promener...

- Avec l'auxiliaire **avoir**, on n'accorde pas le sujet et le participe passé
  Elle a déjeuné. ~ Ils ont déjeuné.

- Avec l'auxiliaire **être**, on accorde le sujet et le participe passé
  Elle est partie ~ Ils sont arrivés ~ Elles se sont disputées.

Emplois

On emploie le passé composé pour parler d'une action ou d'un fait, dans le passé proche ou plus lointain :

- totalement terminés au moment où on parle
  - *Tu as regardé tes messages hier soir ?*
  - *Non, j'ai oublié.*

  Dimanche dernier, nous sommes allés au bord de la mer.

- limités dans le temps
  De 2011 à 2013, ils ont habité en Sicile.

Six verbes (**entrer** (**rentrer**)/ **sortir** - **monter**/**descendre** - **passer** - **retourner**) peuvent se conjuguer (1) soit avec **être**, (2) soit avec **avoir** quand ils sont suivis d'un COD. Attention aux accords du participe !

Elles sont passées chez moi à six heures. / Elles ont passé un mois en Thaïlande.

Elle est montée au 6e étage à pied. / Elle a monté sa valise.

1 Mets le verbe au passé composé.

a. - Tu _____ déjeuner ?
   - Oui, j' _____ manger un sandwich.

b. - Vous _____ payer ?
   - Non ! Nous _____ oublier !

c. - Tu _____ trouver tes gants ?
   - Non, j' _____ chercher partout, mais en vain !

d. - Vous _____ terminer votre travail ?
   - Oui, on _____ finir hier soir.

2 Complète avec l'auxiliaire *avoir* ou avec l'auxiliaire *être*. Conjugue-le.

a. Hier, Irina et Francesco _____ regardé un film super.

b. Elles _____ arrivées hier soir.

c. Vous _____ compris l'exercice de maths ?

d. Nous _____ habité longtemps dans le nord de l'Italie.

e. À quelle heure ils _____ sortis de la maison ?

f. En 2012, mes parents _____ fait un voyage en Asie.

g. Anna, tu _____ rentrée à quelle heure hier soir ?

h. Tu _____ vu Tina aujourd'hui ?

3 Mets à la forme négative comme dans l'exemple. Attention aux phrases e et *f*.

Ils sont venus très tard. ➜ *Ils ne sont pas venus très tard.*

a. Tu es partie faire du ski ? ➜ _____ ?

b. Vous avez aimé cette histoire ? ➜ _____ ?

c. Nous avons changé de voiture. ➜ _____ .

d. Il a neigé la nuit dernière. ➜ _____ .

e. Ils se sont rencontrés au Japon. ➜ _____ .

f. Vous vous êtes mariés ? ➜ _____ ?

4 Mets ces phrases dans l'ordre.

a. ~~Elles~~ de dépêchées se partir sont

➜ *Elles* _____

b. ~~Nous~~ à Barcelone sommes rencontrés nous

➜ *Nous* _____

c. ~~Ils~~ ont eu pas n' froid

➜ *Ils* _____

LE VERBE : TEMPS ET MODE

6.5 Le passé composé (2)

Le participe passé

Nous avons vu que le passé composé est formé d'un auxiliaire (**avoir** ou **être**) au présent et d'un participe passé. La forme du participe passé est souvent irrégulière.

Forme

- On forme le participe passé sur le radical de l'infinitif mais il existe plusieurs cas.
  - La forme est régulière pour les verbes en -**er** ➔ le participe se termine en -**é**
    manger ➔ *j'ai mangé* ~ *aimer* ➔ *j'ai aimé* ~ *travailler* ➔ *j'ai travaillé...*
  - La forme est régulière aussi pour certains verbes en -**ir** (**finir**, **choisir**, **grandir**, **maigrir**, **rougir**...) ➔ le participe se termine en -**i**
    choisir ➔ *j'ai choisi* ~ *finir* ➔ *j'ai fini...*

Pour les autres verbes, attention ! Le participe passé peut se terminer par :

- -**u**
  - **voir** ➔ *j'ai vu* ~ **savoir** ➔ *j'ai su* ~ **vouloir** ➔ *j'ai voulu* ~ **pouvoir** ➔ *j'ai pu* ~ **devoir** ➔ *j'ai dû* ~ **recevoir** ➔ *j'ai reçu*
  - **attendre** ➔ *j'ai attendu* ~ **entendre** ➔ *j'ai entendu* ~ **répondre** ➔ *j'ai répondu* ~ **descendre** ➔ *je suis descendu(e)* ~ **perdre** ➔ *j'ai perdu*
  - **courir** ➔ *j'ai couru* ~ **venir** ➔ *je suis venu(e)* ~ **devenir** ➔ *je suis devenu(e)*
  - **lire** ➔ *j'ai lu* ~ **boire** ➔ *j'ai bu*

- -**i**
  - **dormir** ➔ *j'ai dormi* ~ **rire** ➔ *j'ai ri* ~ **sortir** ➔ *je suis sorti(e)* ~ **partir** ➔ *je suis parti(e)*

- -**is**
  - **prendre** ➔ *j'ai pris* ~ **apprendre** ➔ *j'ai appris* ~ **comprendre** ➔ *j'ai compris*

- -**it**
  - **dire** ➔ *j'ai dit* ~ **écrire** ➔ *j'ai écrit* ~ **conduire** ➔ *j'ai conduit*

- -**ert**
  - **ouvrir** ➔ *j'ai ouvert* ~ **découvrir** ➔ *j'ai découvert* ~ **offrir** ➔ *j'ai offert* ~ **souffrir** ➔ *j'ai souffert*

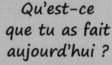

Qu'est-ce que tu as fait aujourd'hui ?

- Attention aux verbes irréguliers !
  - **avoir** : *j'ai eu, tu as eu, il a eu...*
  - **être** : *j'ai été, tu as été, il a été...*
  - **naître** : *je suis né(e), tu es né(e), il/elle est né(e)...*
  - **vivre** : *j'ai vécu, tu as vécu, il a vécu...*
  - **faire** : *j'ai fait, tu as fait, il a fait...*
  - **mourir** : *il est mort, elle est morte...*

- Attention à la place des adverbes au passé composé.
  - *Elle réussit très bien.*
  - *Normal ! Elle travaille beaucoup.*

  - *Elle a très bien réussi.*
  - *Normal, elle a beaucoup travaillé.*

En général, au passé composé, on met l'adverbe entre l'auxiliaire et le participe passé.

1 Écoute. Écris le verbe au passé composé et donne l'infinitif comme dans l'exemple.

j'ai lu ➜ lire

a. il _____ ➜ _____

b. tu _____ ➜ _____

c. tu _____ ➜ _____

d. vous _____ ➜ _____

e. tu n' _____ pas _____ ➜ _____

f. tu _____ ➜ _____

g. ils _____ ➜ _____

h. nous _____ ➜ _____

i. elle _____ ➜ _____

j. elle _____ ➜ _____

2 Mets ces phrases au passé composé. Attention à l'orthographe.

a. Aujourd'hui, elle va à la piscine. ➜ Hier, _____.

b. Aujourd'hui, je fais deux heures de gym. ➜ Hier, _____.

c. Aujourd'hui, je prends le bus. ➜ Hier, _____.

d. Aujourd'hui, elle vient au collège en rollers. ➜ Hier, _____.

e. Aujourd'hui, je dois partir à midi. ➜ Hier, _____.

3 Mets le verbe au passé composé.

a. - Hier, Gina _____ **offrir** un joli cadeau à Karine pour ses 14 ans. Elle lui _____ **donner** une écharpe de soie. Quand Karine _____ **ouvrir** le paquet, elle était très contente ! Elle lui _____ **dire** merci au moins dix fois !

b. Samedi dernier, nous _____ **faire** un petit voyage. Nous _____ **prendre** le train et ensuite nous _____ **louer** des bicyclettes. Nous _____ **rouler** jusqu'à Fontainebleau. À midi, nous _____ **pique-niquer** dans la campagne puis nous _____ **repartir** . Nous _____ **rentrer** morts de fatigue mais très heureux !

c. *Deux filles bavardent...*

- Hier, je _____ **aller** à la fête chez Claudia.

- Ah oui ? Qu'est-ce que tu _____ **mettre** comme robe ?

- J(e) _____ **mettre** un short et un tee-shirt noirs. Et toi ? Qu'est-ce que tu _____ **faire** hier ?

- Je _____ **rester** à la maison. J(e) _____ **lire** un peu et je _____ **se coucher** tôt.

LE VERBE : TEMPS ET MODE

6.6 L'imparfait

Forme

La forme de l'imparfait est très régulière. On part de la racine de la première personne du pluriel de l'indicatif présent (*nous*) et on ajoute les terminaisons *-ais*, *-ais*, *-ait*, *-ions*, *-iez*, *-aient*.

- **nous allons** → *j'allais, tu allais, il/elle/on allait, nous allions, vous alliez, ils/elles allaient*
- **nous finissons** → *je finissais, tu finissais, il/elle/on finissait, nous finissions, vous finissiez, ils/elles finissaient*
- **nous avons** → *j'avais, tu avais, il/elle/on avait, nous avions, vous aviez, ils/elles avaient*

 Il y a un verbe irrégulier : **être**.
j'étais, tu étais, il/elle/on était,
nous étions, vous étiez, ils/elles étaient

Emplois

On emploie l'imparfait pour :

- décrire quelqu'un ou quelque chose (une situation, un état) dans le passé
  Au dix-neuvième siècle, beaucoup d'hommes portaient une barbe et des moustaches.
  Hier, elle était malade, mais aujourd'hui elle va bien.

- faire un commentaire, porter un jugement sur un événement passé
  Dimanche, je suis allé à une fête. C'était génial !

- décrire des habitudes dans le passé
  Quand j'étais petit, ma mère venait me chercher à l'école.

Imparfait et passé composé

Quand on raconte quelque chose au passé, on utilise presque toujours ces deux temps :

- le passé composé pour les actions, les faits, les événements
- l'imparfait pour décrire la situation, le contexte ou pour faire un commentaire

  Dimanche dernier, je suis allé faire du surf avec mon copain Alex. → une action
  Il faisait un temps superbe → une description
  et les vagues étaient magnifiques. → une description
  C'était parfait ! → un commentaire
  Mais brusquement, le ciel est devenu noir → un changement
  et l'orage a éclaté. → une action
  Nous sommes rentrés sous la pluie. → une action
  Nous étions furieux ! → un commentaire

1 Écoute : Tu entends un présent, un futur ou un imparfait ?

🔊 31

	a.	b.	c.	d.	e.	f.	g.	h.
présent								
futur	✓							
imparfait								

2 Regarde l'exemple et continue l'exercice. Attention à la phrase c.

écrire → nous écrivons → j'écrivais / nous écrivions

a. manger → .... → .... / ....
b. savoir → .... → .... / ....
c. être → .... → .... / ....
d. faire → .... → .... / ....

3 Mets le verbe au temps qui convient.

a. Maintenant, nous .... commander tout sur Internet, mais avant nous .... faire nos courses au supermarché.

b. Aujourd'hui, les Français .... avoir peu d'enfants (deux en général), mais avant, vers 1950, il y .... avoir beaucoup de familles nombreuses.

c. Il y a dix ans, quand nous .... aller en vacances, nous .... prendre le train. Maintenant, mes parents .... préférer prendre la voiture ou l'avion.

d. - Tiens ! Tu .... venir au lycée en bus maintenant ?
- Oui, avant, je .... prendre mon vélo, mais depuis un mois il .... faire trop froid.

4 Imparfait ou passé composé ? Choisis la bonne solution.

a. Quand Lisa et Clara étaient / ont été petites, elles allaient / sont allées chaque année en vacances chez leurs grands-parents, à la campagne. Elles aimaient / ont aimé beaucoup ça.

b. - Tu avais / as eu quel âge en 2000 ?
- Vingt ans. Et vingt-deux ans quand tu naissais / es né. J' étais / j'ai été très jeune !

c. En octobre 2014, nous allions / sommes allés passer dix jours au Japon. Nous adorions / avons adoré ce pays.

d. Hier, quand j' ouvrais / ai ouvert la fenêtre, il pleuvait / a plu. Alors, j(e) mettais / ai mis des bottes et j(e) prenais / ai pris mon parapluie. Je partais / suis partie au lycée sous la pluie.

6.7 Se situer dans le temps

Hier, aujourd'hui, demain...

Dans le passé	Dans le présent	Dans le futur
hier	aujourd'hui	demain
avant-hier	cette semaine	après-demain
il y a trois jours	ce mois-ci	dans trois jours
la semaine dernière	cette année-ci	la semaine prochaine
le mois dernier	maintenant	le mois prochain
l'année dernière		l'année prochaine
avant, autrefois		plus tard, un jour

La fréquence

Les principaux adverbes de temps exprimant l'idée de fréquence sont :
toujours (tout le temps), tous les jours, souvent, de temps en temps, rarement, jamais.

- *Vous allez souvent à la piscine ?*
- *Non, pas très souvent. On y va de temps en temps. Et toi ?*
- *Moi, j'y vais tous les jours. J'adore nager !*

La durée

- **Pendant** exprime une durée limitée dans le temps.
  Qu'est-ce que tu as fait pendant les vacances ?

- **En** exprime le temps nécessaire pour faire quelque chose.
  Le Tour du monde en 80 jours (Jules Verne)

- **De... à...** indique une « tranche » de temps.
  Le cours de français est de 15 à 16h.

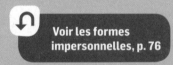

Voir les formes impersonnelles, p. 76

Se situer dans le passé

- **Il y a** + durée : l'expression **il y a** indique le temps entre une action passée et le moment où on parle. L'action (ici, l'arrivée de Tom) est terminée dans le passé. Le verbe est en général au passé composé.
  Tom est arrivé en Italie il y a deux ans.

- **Depuis** + durée/date/événement : l'action a commencé dans le passé et continue dans le présent. Le verbe est souvent au présent.
  Je connais Lisa depuis trois mois. → une durée
  depuis le 5 janvier 2015. → une date
  depuis son arrivée au collège. → un fait

> Quelquefois, le verbe est au passé composé.
> *Ils sont partis depuis six mois / depuis le 1er octobre / depuis la rentrée.*(→ Leur absence continue, elle dure encore au moment où je parle.)

- **Il y a** + durée + **que** / **Ça fait** + durée + **que**
  Ces expressions ont le même sens que **depuis** mais elle sont au début de la phrase et elles sont toujours suivies d'une idée de durée.
  Il y a deux heures que je t'attends ! Ça fait dix ans qu'ils sont partis.

Se situer dans le futur

- **Dans** + durée : il exprime la durée qui existe entre le moment où on parle et le moment où une action va se produire. Le verbe est au futur, au futur proche ou au présent.
  Attention, attention ! Le train va partir dans une minute.

A2 **1** Complète avec *aujourd'hui, demain, l'après-midi, cette semaine, hier, en retard, à l'heure, le matin.*

Nous sommes vendredi, il est 8h. Inès et Cristina bavardent devant leur collège.

- Salut, Tina. Huit heures juste ! Bravo ! _____, tu es _____ !
- Ne te moque pas de moi. _____, je suis arrivée vraiment _____. Comme tous les jeudis ! À huit heures vingt ! Résultat : j'ai eu une heure de colle*.
- Avec toi, le retard, ça arrive souvent. Trois fois _____ : lundi, mardi et jeudi !
  Qu'est-ce que tu vas faire _____ ?
- Comme tous les samedis : _____, je dors, et _____, je vais à la plage avec mes amies.

(* une heure de colle = une heure de retenue, de punition)

A2 **2** Mets dans l'ordre chronologique.

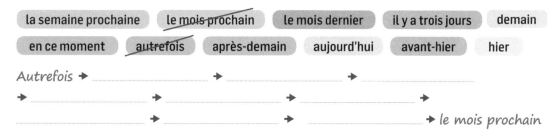

| la semaine prochaine | le mois prochain | le mois dernier | il y a trois jours | demain |
| en ce moment | autrefois | après-demain | aujourd'hui | avant-hier | hier |

Autrefois → _____ → _____ → _____
→ _____ → _____ → _____
→ _____ → _____ → le mois prochain

A2 **3** Associe.

a. Il est allé une fois au Maroc
b. Nous sommes en classe tous les jours
c. Emilie habite en Belgique
d. Nous avons joué au foot
e. Avec son vélo, Hugo vient au collège
f. Ils vont partir

1. de huit heures à seize heures.
2. en un quart d'heure.
3. il y a deux ans.
4. depuis 2013.
5. pendant la récréation.
6. dans dix minutes.

a	b	c	d	e	f

A2 **4** Complète avec *en* ou *dans*.

a. Nous sommes le 18 décembre. _____ une semaine, c'est Noël !
b. Il est très rapide : il a fait tout son travail _____ une heure.
c. Avec le TGV, on fait Paris-Marseille _____ trois heures.
d. L'avion décolle _____ une heure. Tu as le temps d'aller au duty free.
e. N'oublie pas que l'examen est _____ trois jours !

A2 **1** **Passe du passé composé au futur proche comme dans l'exemple.**

Il est arrivé ? → *Non, il va arriver dans cinq minutes.*

a. Vous avez déménagé ? → Non, _____ la semaine prochaine.

b. Tu as passé ton examen ? → Non, _____ en septembre prochain.

c. Vous avez fait les courses ? → Non, _____ plus tard.

d. Ils se sont mariés ? → Non, _____ après les vacances.

e. Vous avez dîné ? → Non, _____ plus tard.

A2 **2** **Transforme la phrase en utilisant un impératif affirmatif ou négatif comme dans l'exemple. Attention aux phrases e et f.**

Tu dois partir tout de suite. → *Pars tout de suite !*

Tu ne dois pas faire ça ! → *Ne fais pas ça !*

a. Vous devez travailler un peu plus. → _____ !

b. Pas de panique ! Nous devons rester calmes. → _____ !

c. Tu ne dois pas t'inquiéter. → _____ !

d. Vous devez prendre ce médicament trois fois par jour. → _____ !

e. Tu dois m'écouter ! → _____ !

f. Nous devons nous arrêter cinq minutes. → _____ !

◁)) **A2** **3** **Écoute ce texte et lis-le. Complète les verbes.**
32 **Attention à l'orthographe !**

| adorer | aller (x2) | revenir | être (x2) | partir | nager | visiter |

L'année dernière, Steve _____ en Grèce avec son copain Thomas.
C'_____ la première fois qu'ils _____ tous les deux
tout seuls. Ils _____ Athènes, et après ils _____ dans
les îles. Ils _____ la mer et ils _____ tous les deux.
Quand ils _____ à Lyon, ils _____ tout bronzés et très
contents.

A2 **4** **Vrai ou faux ?**

	VRAI	FAUX
a. Le passé composé se forme toujours avec l'auxiliaire *avoir*.		✓
b. Tous les verbes en -*er* ont le participe passé en -*é*.		
c. Le participe passé du verbe *ouvrir* est *offert*.		
d. Tous les verbes en -*ir* ont le participe passé en -*i*.		
e. Les verbes pronominaux se conjuguent toujours avec l'auxiliaire *être*.		
f. Le participe passé du verbe mourir est *mort*(e).		

7 LA CONSTRUCTION DE LA PHRASE

Dans ce chapitre, nous allons aborder les différents types de phrases. Nous nous intéresserons plus précisément aux phrases interrogatives et aux phrases négatives.

1. Les différents types de phrases :
La phrase simple et la phrase complexe

2. La phrase interrogative (1) : totale
Les trois formes de l'interrogation
Oui, si et *non*
Qui est-ce ? / Qu'est-ce que c'est ?

3. La phrase interrogative (2) : partielle
Quand ? Où ? Comment ? Combien ? Pourquoi ?
Quel, Quelle, Quels, Quelles ?
Lequel, Laquelle, Lesquels, Lesquelles ?

4. La phrase négative (1) :
ne... pas

5. La phrase négative (2) :
ne... rien, ne... plus, ne... pas encore,
ne... jamais, ne... personne

6. La place de la négation

7. Les relations logiques :
la cause, la conséquence, le but, l'opposition/
comparaison et la concession

8. Bilan

Euh... Comment ? Quoi ? Quand ? Où ? Pourquoi ? ...

Papa, c'est décidé : je veux vivre ma vie !

LA CONSTRUCTION DE LA PHRASE

7.1 Les différents types de phrase

Une phrase commence toujours par une majuscule et se termine par un point.

- un point final *Ana est là.*

- un point d'exclamation *Tu es belle !*

- un point d'interrogation *Ça va ?*

Il existe deux sortes de phrases : **la phrase simple** et **la phrase complexe**.

La phrase simple

Elle n'a qu'un seul verbe. Le plus souvent, elle est composée d'un sujet
et d'un verbe, mais parfois aussi d'autres éléments (adjectif, complément
d'objet direct ou indirect, complément circonstanciel, adverbe...).

Théo court.
Théo est rapide.
Théo fait du sport.
Théo s'intéresse au jogging.
Théo court tous les jours de 6 à 8h.
Théo court très vite.

- Quelquefois la phrase n'a qu'un seul mot :
  Attention ! Viens ! Bonjour !

- Une phrase simple peut être longue !
  *Tous les jours, du lundi au dimanche, mon ami grec Théo
  fait son petit jogging avec deux ou trois copains dans
  les bois entre six et huit heures, juste avant le dîner.*
  La phrase est longue mais il y a un seul verbe : **faire**
  ➜ c'est une phrase simple.

La phrase peut être :

- affirmative/négative *Ils partent en Angleterre.*
  Ils ne partent pas en Angleterre.

- interrogative *Tu vas où ? Où vas-tu ? Où est-ce que tu vas ?*

- exclamative *Mais tu es complètement fou !*

- injonctive (impérative) *Sortez immédiatement !*

La phrase complexe

La phrase complexe est composée de deux ou plusieurs propositions
reliées par des connecteurs (**et**, **ou**, **mais**, **quand**, **si**, **parce que...**), par un
pronom relatif, etc. Il y a donc deux ou plusieurs verbes.

Léo est au collège et sa sœur va au lycée.
Je voudrais sortir mais il pleut !
Quand la cloche sonne, vous pouvez sortir.
Elle rit parce qu'elle est très contente.
Si tu viens, c'est parfait !
*Elle habite à Lyon, elle s'appelle Léa,
elle est jolie et elle a 15 ans.*
C'est une ville que j'adore. C'est un cinéma où on va souvent.

Voir les relations
logiques, p. 108

A1 **1** **Lis ce texte :**

> Hier, avec mes amis, nous sommes allés au cirque le spectacle a commencé à cinq heures de l'après-midi nous sommes rentrés chez nous à huit heures

a. Il y a combien de phrases simples ? ☐ 1 ☐ 2 ☐ 3

b. On a oublié les majuscules et les points. Remets-les.

A1 **2** **Lis les phrases suivantes : trois sont des phrases complexes. Lesquelles ? Coche-les.**

a. Il fait très beau. ☐

b. Dépêchez-vous ! ☐

c. Si tu m'aimes, dis-le-moi ! ☐

d. Je ne sais pas où il est. ☐

e. Nina est arrivée hier soir. ☐

f. Tu vas partir quand ? ☐

g. Vous allez bien ? ☐

h. Il s'appelle Frankie. ☐

i. Il adore le rap. ☐

j. Il est sympa et il danse très bien. ☐

k. Elle n'a pas beaucoup de chance dans la vie ! ☐

◁)) **A1** **3** **Écoute les phrases et classe-les en** *phrases affirmatives* **(A),** *négatives* **(N),** *interrogatives* **(INT),** *exclamatives* **(E),** *injonctives* **(INJ).**
33 **Attention à la phrase g.**

	a.	b.	c.	d.	e.	f.	g.	h.	i.	j.
A	✓									
N										
INT										
E										
INJ										

A2 **4** **Complète cette phrase simple avec une indication de temps (*hier matin*), une indication de lieu (*dans la cour du collège*), une indication de cause (*à cause de Muriel*) et un adverbe (*violemment*).**

Edouard et Damien se sont disputés...

....

....

....

....

....

....

LA CONSTRUCTION DE LA PHRASE

7.2 La phrase interrogative (1) : totale

Les trois formes de l'interrogation

Il y a trois manières de poser une question simple. Avec la question simple, l'interrogation porte sur toute la phrase et la réponse est *oui*, *si*, *non*, *peut-être*, *un peu*, *je ne sais pas*, etc.

A. L' interrogation par **intonation** ↗

> *Tu vas bien ? Tu m'aimes ? Tu m'écoutes ?*
> *Vous avez vu Tim ? Vous allez partir bientôt ?*

En français familier, c'est la forme la plus fréquente. À l'oral, l'intonation montante indique qu'il s'agit d'une question. À l'écrit, il y a toujours un point d'interrogation (?) final.

> *Est-ce que...* = [ɛskə]

B. L'interrogation avec *est-ce que...* + sujet + verbe

> *Est-ce que tu connais l'Autriche ? Est-ce que vous aimez les fromages français ?*
> *Est-ce que tu es allé en France l'année dernière ?*

C'est aussi très fréquent en français familier et standard.

C. L'interrogation avec **l'inversion pronom sujet / verbe**
C'est une forme plus soutenue, plus formelle, moins fréquente en français de tous les jours. Il y a un trait d'union (-) entre le verbe et le pronom sujet.

> *Partez-vous en train ou en avion ? Désirez-vous boire quelque chose ?*
> *Avez-vous vu mes clés ? As-tu entendu ce bruit ?*

Oui, si et non

À la question *Pourquoi... ?*, il faut toujours répondre *parce que...* ou *pour* + infinitif.

- Si la question est affirmative, on peut répondre par :
  - **Oui**   *C'est ta copine ? Oui.*
  - **Non**   *C'est ta copine ? Non.*

- Si la question est négative, attention ! On doit toujours répondre par :
  - **Si**   *Tu n'es pas canadien ? Si ! / Mais si ! (➜ Je suis canadien.)*
  - **Non**   *Tu n'es pas canadien ? Non. Je suis français.*

> **!** Avec une question négative, on ne peut pas répondre par *oui* mais toujours par *si*.

Qui est-ce ? / Qu'est-ce que c'est ?

- On utilise *qui est-ce ?* pour identifier une personne ou des personnes.
  > *Qui est-ce ? Je ne sais pas. C'est le nouveau prof de français, peut-être ?*
  > *Qui est-ce ? Ce sont les nouveaux voisins.*

- On utilise *qu'est-ce que c'est ?* pour identifier quelque chose.
  > - *Qu'est-ce que c'est ?*
  > - *Tu vois bien, c'est un paquet.*
  > - *D'accord mais qu'est-ce que c'est ?*
  > - *Ah, ah ! Mystère... Devine !*
  > - *Je sais ! C'est un bonzaï pour l'anniversaire de maman.*
  > - *Bravo !*

A1 ❶ Transforme la question avec *Est-ce que...?* comme dans l'exemple.

Tu connais le Canada ? ➤ *Est-ce que tu connais le Canada ?*
a. Il s'appelle Patrice ou Patrick ? ➤ _____ ?
b. Tu pars au ski cet hiver ? ➤ _____ ?
c. Elle a passé tous ses examens ? ➤ _____ ?
d. Vous vous connaissez depuis longtemps ? ➤ _____ ?
e. Tu peux venir m'aider, s'il te plaît ? ➤ _____ ?
f. Le festival commence samedi ou dimanche ? ➤ _____ ?

A1 ❷ Passe de la question formelle à la question informelle comme dans l'exemple.

Connaissez-vous cette actrice ? ➤ *Vous connaissez cette actrice ?*
a. Avez-vous vu Fiona hier ? ➤ _____ ?
b. Êtes-vous fatigués ? ➤ _____ ?
c. As-tu terminé ton travail ? ➤ _____ ?
d. Sont-ils partis ? ➤ _____ ?
e. Avez-vous des rollers ? ➤ _____ ?
f. Est-elle dans ta classe ou dans la classe de ta sœur ? ➤ _____ ?

🔊 34 A2 ❸ Écoute la réponse et entoure la question qui correspond.

a. Tu ne connais pas Patrick Bruel ? / Tu connais Patrick Bruel ?
b. Tu aimes bien le rap ? / Tu n'aimes pas le rap ?
c. Vous êtes quelquefois en retard au lycée ? / Vous n'êtes jamais en retard au lycée ?
d. Tu peux m'aider, s'il te plaît ? / Tu ne peux pas m'aider, s'il te plaît ?
e. Tu vas chez Sonia demain soir ? / Tu ne vas pas chez Sonia demain soir ?

A2 ❹ Pose la question avec *Qui est-ce ?* ou avec *Qu'est-ce que c'est ?*

a. - _____ ? - Elle ? C'est Marianne, ma sœur.
b. - _____ ? - Ce sont mes nouvelles chaussures. Tu les aimes ?
c. - _____ ? - C'est un cadeau pour Vanessa.
d. - _____ ? - C'est moi à six mois ! J'ai un peu changé.
e. - _____ ? - C'est mon copain de classe.
f. - _____ ? - C'est un stylo magique. Regarde !

A1 ❺ Relie.

a. J'ai perdu mon agenda. Tu l'as vu ?   ➤ ☐ 1. Si, j'adore le foot.

b. Tu ne veux pas venir avec moi au stade ?   ➤ ☐ 2. Si, il en reste deux.

c. Il ne conduit pas ?   ➤ ☐ 3. Oui, il est sur ton bureau.

d. Il n'y a plus de croissants ?   ➤ ☐ 4. Non, il est trop jeune !

LA CONSTRUCTION DE LA PHRASE

7.3 La phrase interrogative (2) : partielle

L'interrogation peut porter sur un élément de la phrase : le temps, le lieu, la manière, la quantité, la cause... On ne peut jamais répondre par **oui** ou **non**. On utilise un mot interrogatif.

- Si elle porte sur le temps ➜ **quand ?**
  Il part quand ? Quand est-ce qu'il part ? Quand part-il ?

- Si elle porte sur le lieu ➜ **où ?**
  Où tu vas ? Où est-ce que tu vas ? Où vas-tu ?

- Si elle porte sur la manière ➜ **comment ?**
  - Tu travailles comment ? Comment est-ce que tu travailles ?
  Comment travailles-tu ? Bien ou mal ?
  - Je travaille bien.

  - Vous allez comment ? Comment est-ce que vous allez ?
  Comment allez-vous ?
  - Ça va, merci.

  - Tu t'appelles comment ? Comment est-ce que tu t'appelles ?
  Comment t'appelles-tu ?
  - Adam.

- Si elle porte sur la quantité ➜ **combien ?**
  - Tu as combien de frères ? Combien de frères est-ce que tu as ?
  Combien de frères as-tu ?
  - Trois.

- Si elle porte sur la cause ➜ **pourquoi ?**
  - Pourquoi tu joues au foot tous les jours ?
  Pourquoi est-ce que tu joues au foot tous les jours ?
  Pourquoi joues-tu au foot tous les jours ?
  - Parce que j'adore ça. / - Pour devenir un grand champion.

> À la question **Pourquoi... ?**, il faut toujours répondre **parce que...** ou **pour** + infinitif.

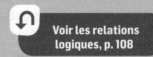
↩ **Voir les relations logiques, p. 108**

Quel, Quelle, Quels, Quelles + nom

L'adjectif interrogatif s'accorde en genre et en nombre avec le nom qui suit.

Tu parles de quel film ? De quel film est-ce que tu parles ? De quel film parles-tu ?
Tu sors à quelle heure ? À quelle heure est-ce que tu sors ? À quelle heure sors-tu ?
Vous prenez quels livres ? Quels livres est-ce que vous prenez ? Quels livres prenez-vous ?
Tu mets quelles chaussures? Quelles chaussures est-ce que tu mets ? Quelles chaussures mets-tu ?

Lequel, Laquelle, Lesquels, Lesquelles

Le pronom interrogatif représente un nom déjà connu. Il s'accorde avec ce nom.

- Bonjour. Je voudrais une tarte au citron, s'il vous plaît.
- Laquelle ?

1 **Complète avec *quand, où, comment, combien, pourquoi*.**

a. - _____ coûte ce pull vert, s'il vous plaît ?

    - 25,90 euros.

b. - _____ allez-vous ?

    - Très bien, merci. Et vous ?

c. - _____ vas-tu ?

    - À la piscine. Tu viens avec moi ?

d. - _____ tu t'appelles ?

    - Cindy.

e. - Ton anniversaire, c'est _____ ?

    - Le 22 mars.

f. - _____ tu es en retard ?

    - Mon portable n'a pas sonné. Je ne me suis pas réveillé !

g. - Tu as eu _____ à ton exercice de biologie ?

    - J'ai eu 10.

h. - Vous partez _____ en vacances cette année ?

    - Je ne sais pas. Marie veut aller en Grèce et moi en Norvège.

2 **Écoute la question et coche la réponse qui correspond.**

a. ☐ Demain matin, à huit heures. ☐ À Berlin. ☐ Avec Flo et Rémi.

b. ☐ Dix-sept ans. ☐ Il s'appelle Benjamin. ☐ Le 25 avril.

c. ☐ Depuis dix ans. ☐ 13 rue du Nord, à Lille. ☐ Oui, c'est un peu cher !

d. ☐ Parce que j'ai trop chaud ! ☐ Dans deux jours. ☐ Dans le centre de Londres.

e. ☐ Dimanche soir. ☐ En voiture. ☐ En vacances.

f. ☐ Dans un mois ou deux. ☐ Parce que c'est beau ! ☐ Oh la la ! Beaucoup trop cher !

3 **_Quel ? Quelle ? Quels ? Quelles ?_ Complète.**

a. _____ heure est-il ?

b. Vous voulez _____ chaussures ? Les noires ou les rouges ?

c. Tu as _____ âge ?

d. Tu connais _____ chanteurs français ?

e. _____ est la capitale de la Thaïlande ?

f. _____ est ton acteur préféré ?

4 **Réponds avec *lequel, laquelle, lesquels, lesquelles*.**

a. - Tu aimes bien la copine de Bruno ? ➦ - _____ ? La blonde ou la brune ?

b. - J'adore les chansons de Tokio Hotel. ➦ - _____ , par exemple ?

c. - Mon prof est malade aujourd'hui. ➦ - _____ ? Monsieur Martin ?

d. - Je sors avec des copains ce soir. ➦ - _____ ? Edouard et Stan ?

7.4 La phrase négative (1)

La phrase négative a toujours deux éléments :
ne + une autre négation (**pas, jamais, rien**, etc.).

À l'écrit, il faut garder le **ne**, mais en français familier, oral, on le supprime souvent.

Tu viens ou tu viens pas ?

La négation totale

Ne + verbe + **pas**.
Il n'est pas là.

Attention : **ne** + voyelle ou *h* muet ➔ **n'**.
Je n'habite pas en Espagne.

La place de la négation

- Avec un verbe à temps simple (le présent, par exemple), les deux parties de la négation encadrent le verbe.
    - *Tu danses ? - Non, je ne danse pas.*
    - *Phil aime le foot ? - Non, il n'aime pas ça.*

 Voir pas du tout, p. 54

- Avec un verbe à temps composé (le passé composé, par exemple), les deux parties de la négation encadrent l'auxiliaire.
    Ils ne sont pas venus.
    Igor n'a pas déjeuné avec toi aujourd'hui ?

- Avec deux verbes (un verbe conjugué et un infinitif), les deux parties de la négation encadrent le verbe conjugué.
    Vous n'allez pas partir en voyage ?
    Tu ne veux pas venir ?
    Il ne peut pas comprendre la situation.

- Avec un pronom complément dans la phrase négative, le **ne** est toujours avant le pronom.
    Zoé ? Non, je ne la connais pas.
    Léo ? Non, je ne l'ai pas rencontré. Et toi, tu ne l'as pas vu ?

- Avec un verbe à l'infinitif, les deux parties de la négation sont avant l'infinitif.
    Merci de ne pas toucher.
    Ne pas déranger. Je suis occupée.

- Avec les articles indéfinis : **un, une, des ➔ pas de...**
    - *Tu as un chien ?*
    - *Non, je n'ai pas de chien, mais j'ai deux chats.*
- Avec les articles partitifs : **du, de l', de la, des ➔ pas de...**
    Tu veux de la viande ?
    Je ne mange pas de viande, je suis végétarien.

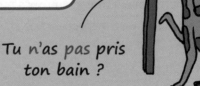

Non, je n'aime pas ça !

Tu n'as pas pris ton bain ?

 Voir :
➔ **les articles indéfinis, p. 32,**
➔ **les articles partitifs, p. 34**

A1 **1** **Mets à la forme négative (avec des temps simples). Attention à la phrase g.**

    a. Je suis fatigué. → _____ .

    b. Nous sommes amis. → _____ .

    c. Vous habitez dans le centre de la ville ? → _____ ?

    d. Il aime les hamburgers. → _____ .

    e. Vous lisez beaucoup. → _____ .

    f. Tu as soif ? → _____ ?

    g. Ils ont un appareil photo numérique ? → _____ ?

A1 **2** **Mets à la forme négative (avec des temps composés).**

    a. Ils sont venus hier soir. → _____ .

    b. Vous êtes allés au cinéma ensemble ? → _____ ?

    c. J'ai travaillé toute la journée. → _____ .

    d. Tu as pris ton petit déjeuner ? → _____ ?

    e. Nous avons regardé la télévision. → _____ .

    f. Elle a compris tous les exercices. → _____ .

    g. On va sortir samedi soir. → _____ .

A2 **3** **Mets à la forme négative (avec deux verbes).**

    a. Il veut travailler avec nous. → _____ .

    b. Tu peux venir à 17h ? → _____ ?

    c. Je vais terminer ce travail très vite. → _____ .

    d. Il va se fâcher, tu crois ? → _____ ?

    e. Vous devez sortir avant 17h. → _____ .

    f. Je peux acheter cette tablette aujourd'hui. → _____ .

    g. On peut arrêter l'école à 12 ans ? → _____ ?

A1 **4** **Réponds à la forme négative (*pas de...*).**

    a. - Tu as du travail pour demain ?
       - Non, _____ .

    b. - Tu as un ordinateur portable ?
       - Non, _____ .

    c. - Chez toi, il y a une piscine ?
       - Non, _____ .

    d. - Tu as des amis chinois ?
       - Non, _____ .

    e. - Qu'est-ce que tu veux ? Tu veux de l'eau ?
       - Non merci, _____ .

    f. - Elle mange de la viande ?
       - Non, _____ .
       Elle est végétarienne.

LA CONSTRUCTION DE LA PHRASE

7.5 La phrase négative (2)

- **Ne... rien** est la négation totale de **quelque chose** ou de **tout**.
    - Tu veux *quelque chose* ?
    - Non, merci, je *ne* veux *rien*.

- **Ne... plus** indique qu'une action a cessé, s'est arrêtée.
  C'est la négation de **encore** ou de **toujours**.
    - Ton grand-père conduit *encore* ?
    - Non, il *ne* conduit *plus*, c'est fini.

    - Il travaille *toujours* ?
    - Non, il *ne* travaille *plus* depuis dix ans.

- **Ne... pas encore** indique qu'une action n'a pas encore eu
  lieu, mais qu'elle va arriver. C'est la négation de **déjà**.
    - Le docteur est *déjà* là ?
    - Non, il *n'est pas encore* là. Asseyez-vous, il va arriver
  dans cinq minutes.

- **Ne... jamais** indique une négation totale
  (➔ 0 fois, pas une seule fois). C'est la négation totale de
  quelquefois, **souvent**, **toujours**, **déjà**, **de temps en temps...**
    - Ils voyagent *souvent* ?
    - Non, ils *ne* voyagent *jamais*. Ils détestent ça !

    - Tu fumes *de temps en temps* ?
    - Non, je *ne* fume *jamais*. Je n'aime pas ça.

- **Ne... personne** est la négation totale de **quelqu'un**.
    - Tu connais *quelqu'un* à Berlin ?
    - À Berlin ? Non, je *ne* connais *personne* !

- **Personne** et **rien** peuvent être sujets d'un verbe.
  Le **ne** est placé immédiatement après.
    - J'ai posé une question ! Personne *ne* répond ?

    - Ça va bien ?
    - Ah non, rien *ne* va ! Tout va mal aujourd'hui !

- On *ne* peut *pas* utiliser **pas** avec une autre négation.
  ~~Il n'est pas jamais là.~~ ➔ Il n'est jamais là.
  ~~Je ne connais pas personne.~~ ➔ Je ne connais personne.

Pour insister, après **pas**, **plus** et
rien, on peut rajouter **du tout**.
- Vous voulez autre chose ?
Un autre café ?
- Ah non, merci,
  rien du tout !

- Tu vois encore Ines ?
- Non, plus du tout !

1 Complète avec une forme négative.

a. - Tu l'aimes encore ?

    - Oui, mais elle, c'est fini ! Elle _____. Sniff, sniff !

b. - Il est génial, il comprend tout !

    - Eric ? Ah non, il _____. Rien du tout !

c. - Il voyage encore ?

    - Non, c'est fini, les voyages. Il _____ depuis dix ans !

d. - Elle habite toujours avec John ?

    - Non, _____. Maintenant, elle vit toute seule.

e. - Tu connais quelqu'un à Paris ?

    - Non, _____. Et toi ?

2 Réponds négativement avec *ne... rien, ne... personne, ne... plus, ne... jamais*.

a. - Tu veux quelque chose ?

    - Non, _____

b. - Bonjour ! Il y a quelqu'un ?

    - Non, _____

c. - Tu connais tout le monde ici ?

    - Non, _____

d. - Il pleut souvent dans le désert ?

    - Non, _____

e. - Il dit quelque chose ?

    - Non, _____

f. - Son bébé pleure souvent ?

    - Non, il est extraordinaire, _____

g. - Tu travailles encore ?

    - Non, _____. J'ai arrêté il y a six mois.

h. - Ils habitent toujours à Naples ?

    - Non, _____. Ils vivent à Palerme maintenant.

3 Écoute les questions et coche la réponse qui correspond.

a. Non, je n'en veux plus, merci.   ➜ ☐

b. Non, pas encore. Il va arriver.   ➜ ☐

c. Non, il travaille tout seul.   ➜ ☐ 1

d. Non, je ne travaille plus.   ➜ ☐

e. Non, jamais ! Il est solitaire.   ➜ ☐

f. Non, rien, merci.   ➜ ☐

7.6 La place de la négation

Nous avons vu la place de la négation avec un verbe à temps simple (comme le présent). Nous avons constaté que la place de la négation est toujours la même : **ne** + verbe + seconde négation.

> *Je ne vois rien. Je ne vois personne. Il ne crie jamais.*
> *Il n'est pas encore là. Il n'est plus là.*

Avec un verbe à temps composé

En général, les deux négations encadrent l'auxiliaire.

Il	n'a	pas	mangé.
Il	n'a	rien	compris.
Il	n'a	jamais	travaillé.
Il	n'est	pas encore	parti.
Il	n'a	plus	écrit.

Avec deux verbes : un verbe conjugué + un infinitif

En général, les deux parties de la négation encadrent le verbe conjugué.

Il	ne	veut	pas	comprendre.
Il	ne	veut	rien	manger.
Il	ne	va	jamais	changer d'idée.
Il	ne	va	pas encore	partir.
Il	ne	peut	plus	travailler.

Avec la négation **ne... personne**, **personne** se place toujours après le participe passé et l'infinitif.

> *Je n'ai vu personne.*
> *Je n'ai parlé à personne.*
> *Il ne veut voir personne.*
> *Il ne veut parler à personne.*

Avec un verbe à l'impératif

La deuxième négation est après le verbe.

> *Ne sors pas !*
> *Ne dis rien !*
> *N'avoue jamais ! Silence !*
> *Ne pars pas encore ! Reste un peu.*
> *Ne pleure plus. Calme-toi !*
> *Ne regarde personne, ne parle à personne.*
> *Ne fais confiance à personne... Prudence !*

Voir l'impératif, p. 82

Ne regarde pas, ne parle pas...

1 **Réponds par une phrase négative.**

a. - Tu as vu quelqu'un ?

   - Non, _____.

b. - Ils sont déjà partis ?

   - Non, _____. Ils partent demain.

c. - Vous êtes déjà allés en Angleterre ?

   - Non, _____. Un jour, peut-être !

d. - Ses copains habitent toujours à Rome ?

   - Non, _____. Ils sont à Milan maintenant.

e. - Tu as déjeuné ce matin ?

   - Non, _____.

f. - Tu veux boire quelque chose ?

   - Non, merci, _____.

g. - Vous pouvez m'aider ?

   - Non, désolé, _____. Je n'ai pas le temps
   maintenant.

h. - Elle veut parler à quelqu'un ?

   - Non, _____, elle préfère garder ses
   problèmes pour elle.

2 **Mets les phrases dans l'ordre.**

a. `Je` `rien` `à l'exercice` `n'` `compris` `ai`

   ➜ _____

b. `pas encore` `terminé` `Le cours` `est` `n'`

   ➜ _____

c. `Ils` `jamais` `allés` `ne` `au théâtre` `sont`

   ➜ _____

d. `personne` `avons` `n'` `rencontré` `Nous`

   ➜ _____

e. `ne` `se parlent` `Elles` `plus`

   ➜ _____

3 **Mets ces impératifs à la forme négative.**

a. Viens demain ! ➜ _____ !

b. Écoute ses conseils ! ➜ _____ !

c. Dis toujours la vérité ! ➜ _____ !

d. Demande à quelqu'un ! ➜ _____ !

e. Mange quelque chose ! ➜ _____ !

f. Négociez encore ! ➜ _____ !

7.7 Les relations logiques

Expression de la cause

On donne les causes, les raisons d'un fait, d'une action.

- **Parce que** répond à la question : **Pourquoi ?**
  - *Pourquoi tu arrives en retard ?*
  - *Parce que je n'ai pas entendu mon réveil !*

- **À cause de** + nom ou pronom tonique
  - *On a eu un accident à cause de <u>la pluie</u>.*
  - *On a eu un accident à cause de <u>toi</u> !*

Expression de la conséquence

On exprime un fait et ensuite le résultat, la conséquence.

- **Donc**
  J'ai perdu mon portable, donc je n'ai pas pu t'appeler.

- **C'est pour ça que** (à l'oral)
  J'ai très mal dormi, c'est pour ça que je suis fatiguée aujourd'hui.

Expression du but

On exprime un objectif, un but pas encore réalisé.

- **Pour** + infinitif
  Il a demandé de l'argent à ses parents pour acheter un scooter.

Expression de l'opposition/comparaison

On compare et on oppose deux faits qui existent en même temps.

- **Alors que**
  Hervé adore les maths alors que sa sœur déteste ça.

- **En revanche, par contre, mais**
  Demain, il fera très beau en Corse. En revanche, il pleuvra dans le Nord.

Expression de la concession

Un fait devrait avoir une conséquence logique, mais cela n'arrive pas.
Il y a une contradiction entre ce qu'on espère et le résultat.

- **Et pourtant, mais**
  Paul a beaucoup travaillé, et pourtant il a raté son examen.
  (**Et pourtant** n'est jamais au début de la phrase.)

- **Malgré** + nom
  Malgré tous leurs efforts, ils ont perdu le match.

– *Pourquoi tu as de grands yeux ?*
– *C'est pour mieux te voir, mon enfant.*
– *Pourquoi tu as de grandes oreilles ?*
– *C'est pour mieux t'entendre, mon enfant.*
– *Pourquoi tu as de grandes dents ?*
– *C'est pour mieux te MANGER, mon enfant !*

37

A2 **1** Écoutez. Quelle est la relation logique dans ces phrases ?

	a.	b.	c.	d.	e.	f.	g.	h.
Cause								
Conséquence								
But	✓							
Opposition								
Concession								

A2 **2** Relie.

a. Il n'y a pas de métro ce matin
b. Il a ouvert la fenêtre
c. Elle ne mange pas de viande
d. Je n'ai pas pu t'appeler
e. Il ne peut pas acheter cette tablette
f. Impossible d'aller à la plage

1. parce qu'elle est végétarienne.
2. parce qu'elle est trop chère !
3. parce que mon téléphone est mort !
4. à cause de la grève des conducteurs.
5. parce qu'il avait trop chaud.
6. à cause du mauvais temps.

a	b	c	d	e	f

A2 **3** Complète avec *malgré* ou *et pourtant*.

a. Elle est jolie, intelligente, agréable, _____ elle n'a pas de copains !
Bizarre, non ?
b. Elle est allée se promener _____ la pluie.
c. _____ ses efforts, il ne réussit pas à faire des progrès en biologie.
d. Je ne trouve pas mes clés, _____ j'ai cherché partout !

A2 **4** Relis la leçon et complète avec le mot qui convient.

Une mère et son fils de 16 ans...

- Pourquoi tu es de mauvaise humeur contre moi ?
- _____ comme d'habitude, tu ne m'aides pas. _____ ta
sœur, elle, elle me propose toujours son aide. Toi, tu ne fais rien à la maison !
- Je suis fatigué après le lycée. _____ que je ne t'aide pas.
- Fatigué ! Fatigué ! Elle aussi, elle est fatiguée. Et moi aussi, je suis fatiguée ;
_____ on fait la cuisine, on fait le ménage...
- D'accord, c'est vrai, je ne fais pas le ménage, je ne fais pas la cuisine.
_____ pour le bricolage, je suis là ! C'est toujours moi qui bricole !
- Oui mais tu ne bricoles pas pour rien. Je te paie _____ bricoler.
- C'est vrai, mais tu sais bien que cet argent c'est _____ m'acheter un
nouvel ordinateur.

A1 **1** **Réponds avec *oui* ou *si*.**

a. - Tu n'es jamais allé voir un film d'horreur ?

  - _____ , très souvent. J'aime bien ça.

b. - Tu n'as rien mangé à midi ?

  - _____ , j'ai déjeuné à la cantine.

c. - Tu ne veux pas venir avec nous à la plage ?

  - _____ , c'est une bonne idée. Je viens.

d. - Tu as vu le chat aujourd'hui ?

  - _____ , je l'ai vu dans le jardin ce matin.

e. - Ça y est ? Tu as fini ton travail ?

  - _____ , j'ai terminé.

A2 **2** **Écoute ces phrases. Coche la seule question qui peut correspondre.**

38

a. ☐ Qu'est-ce que c'est ?
☐ Vous allez au cinéma ?
☐ Qui est-ce ?
☐ Tu fais quoi, ce soir ?

b. ☐ Ils sont partis ?
☐ Ils sont là ?
☐ Tu les connais ?
☐ Ils sont invités aussi ?

c. ☐ Vous préférez le train ?
☐ Ils partent bientôt ?
☐ Vous partez quand ?
☐ C'est où ?

d. ☐ C'est pour moi ?
☐ C'est combien ?
☐ Quand viens-tu ?
☐ Où allez-vous ?

e. ☐ C'est un cadeau ?
☐ Il coûte combien ?
☐ Il vient d'où ?
☐ Qu'est-ce que c'est ?

f. ☐ Tu connais la France ?
☐ Pourquoi tu dis ça?
☐ Où est-ce ?
☐ À quelle heure ?

g. ☐ Tu préfères le train ?
☐ Tu vas où ?
☐ Vous partez comment ?
☐ Il vient d'où ?

h. ☐ C'est à quelle heure ?
☐ C'est dans quelle rue ?
☐ C'est où ?
☐ C'est combien ?

A1 **3** **Réponds avec une phrase négative. Attention aux phrases *c* et *d*.**

a. - Tu as un stylo, s'il te plaît ?

  - Non, _____

b. - Elle boit du thé ?

  - Non, _____

c. - Tu as le temps de lire le soir ?

  - Non, _____ , j'ai trop de travail.

d. - Tu as du temps pour toi le week-end ?

  - Non, _____ , j'ai trop de travail.

e. - Tu veux danser avec moi ?

  - Ah non ! _____ , tu danses trop mal !

8 SE SITUER DANS L'ESPACE

Dans ce chapitre, nous allons voir comment se situer dans l'espace : où on est, où on va, d'où on vient... et comment situer quelqu'un ou quelque chose dans l'espace.

1. La destination, la situation géographique et la provenance.
Les prépositions et les noms de pays :
en, au, aux, à, de, du, des
Les adverbes de lieu *y* et *en*

2. Les autres prépositions de lieu :
dans, sur, sous, devant, derrière, entre, à côté de...

3. Se situer et s'orienter :
à l'ouest, à l'est, au nord, au sud, au centre...

4. Bilan

*Excusez-moi, s'il vous plaît !
Pour aller en France ?*

C'est facile ! Tout droit, puis au fond à gauche, prenez la première à droite. Vous arrivez à côté de Mars... voilà, c'est là !

SE SITUER DANS L'ESPACE

8.1 La destination, la situation géographique et la provenance

Les prépositions et les noms de pays

Pour exprimer la destination (**aller à...**), la localisation (**habiter à...**) ou la provenance (**venir de...**), on utilise différentes prépositions.
Ces préposition changent selon le nom du pays et le verbe utilisé.

Les noms de pays ont toujours un article : *la Belgique, l'Italie, le Canada, le Brésil, le Pérou, le Chili, les États-Unis, les Pays-Bas...*
Sauf quelques exceptions (*Cuba, Chypre, Malte, Singapour, Madagascar...*).

---

règle générale

- Les noms de pays terminés par **-e** sont presque toujours féminins (*la France, l'Italie, la Colombie...*) mais il y a des exceptions : *le Mexique, le Cambodge, le Zimbawe, le Mozambique.*

- Le reste des pays sont masculins (*le Canada, le Ghana, le Libéria...*).

Forme

	destination *(Je vais à...)*	localisation *(J'habite à...)*	provenance *(Je viens de...)*
ville	à	à	de/d'
pays féminin singulier ou masculin singulier commençant par une voyelle	en	en	de/d'
pays masculin singulier	au	au	du
pays pluriel	aux	aux	des

- Où tu vas ?
- Je vais à Madrid / en France / en Iran / au Canada / aux États-Unis.

- Où tu habites ?
- J'habite à Amsterdam / en France / en Iran / au Portugal / aux Pays-Bas.

- D'où tu viens ?
- Je viens de Madrid / d'Amsterdam / de France / d'Iran / du Portugal / des États-Unis.

- Certains pays (des grandes îles, en général) font exception.
   Je vais à Cuba ~ à Chypre ~ à Malte ~ à Madagascar.
   Je viens de Cuba ~ de Chypre ~ de Malte ~ de Madagascar.
- Pour les noms de régions, attention ! En général :
   - noms féminins : **en**, **de**
      Je vais en Normandie. ~ Je viens de Normandie.
   - noms masculins : **dans le**, **du**
      Je vais dans le Midi. ~ Je viens du midi.

Les adverbes de lieu *y* et *en*

Y remplace un nom de lieu (destination ou situation).
   - *Tu vas <u>au collège</u> demain ?*
   - *Non, je n'y vais pas. Demain, c'est samedi.*

   - *Ton correspondant habite <u>en Écosse</u> ?*
   - *Oui, il y habite.*

En remplace un nom de lieu (provenance).
   - *Tu viens <u>de la piscine</u> ?*
   - *Oui, j'en viens.*

   - *Ils arrivent <u>d'Istanbul</u> ?*
   - *Oui, ils en arrivent.*

A1 **1** **Souligne en rouge la préposition qui indique le lieu où on va (destination) ou le lieu où on est, et en bleu la préposition qui indique le lieu d'où on vient (provenance).**

    a. Il ne vient pas d'Espagne, il vient du Portugal.

    b. Nous arrivons de Belgique et nous allons en Écosse.

    c. Il arrive de Cuba et il s'installe aux États-Unis pour faire ses études.

    d. Vous ne venez pas d'Irlande, n'est-ce pas ? Vous venez d'Angleterre ?

    e. Je vais d'abord en Argentine et ensuite je voyage au Chili et au Pérou.

A1 **2** **Réponds comme dans l'exemple.**

    Vous allez en Grèce ?   l'Italie   ➔ *Non, nous allons en Italie.*

    a. Tu vas aux Antilles cet été ?   le Canada   ➔ _____.

    b. Il habite au Brésil ?   le Chili   ➔ _____.

    c. Elle part au Vénézuela ?   la Colombie   ➔ _____.

    d. Ils vivent en Autriche ?   le Luxembourg   ➔ _____.

    e. Vous vous installez aux États-Unis ?   l'Argentine   ➔ _____.

    f. Vous allez au Guatemala ?   le Madagascar   ➔ _____.

A1 **3** **Complète avec la bonne préposition**

    a. - Séville se trouve _____ Portugal ?

        - Mais non ! C'est _____ Espagne, _____ Andalousie.

    b. - Tu vas _____ Berlin pendant les vacances ?

        - Non, cette année, nous n'allons pas _____ Allemagne, nous allons _____ Pays-Bas, _____ Amsterdam.

    c. - Paola vient _____ Milan ?

        - Non, elle est sicilienne, elle vient _____ Palerme.

    d. - Cette année, le collège organise un voyage d'une semaine _____ Belgique. Tu y vas ?

        - Non parce que je suis déjà allé _____ Bruxelles avec mes parents l'année dernière.

🔊 **A1** **4** **Écoute le document. Puis complète le texte avec la préposition qui convient.**
39

    Justine explique que son oncle vit _____ Canada et qu'il voyage beaucoup. Il connaît beaucoup de pays étrangers. Il aime bien l'Europe, il est allé _____ Espagne, _____ Portugal, _____ France... Mais il va aussi très souvent _____ États-Unis et _____ Cuba parce que sa femme est cubaine. Il travaille beaucoup avec des entreprises asiatiques. Chaque année, pour son travail, il va _____ Singapour mais aussi _____ Chine et _____ Japon.

8.2 Les autres prépositions de lieu

Les prépositions de lieu

Comme toutes les prépositions, les prépositions de lieu sont placées devant le nom (*Ton sac est sur la table*) et elles sont invariables.
Elles indiquent la position de quelqu'un ou de quelque chose.
Les plus fréquentes sont : ***devant/derrière ~ sur/sous ~ dans ~ entre ~ loin de/près de ~ à côté de ~ en face de ~ chez***...

Mila est *devant* le train.

Mila est *derrière* la barrière.

Mila danse *sur* la table.

Mila est *sous* la table.

Mila est *entre* Caroline et Matt.

Mila est *dans* son pré.

Mila est *à côté de* son ami Polly.

Mila est *dans* son fauteuil.

Sur, dans :
- Quand l'espace est considéré comme fermé (par des immeubles, par exemple) → ***dans***
- Quand l'espace est considéré comme ouvert → ***sur***
  La voiture est dans la rue ~ sur la route ~ sur la place.
  Ma montre est tombée dans l'eau. Il y a des bateaux à voile sur la mer.

On utilise aussi les adverbes du plus près au plus loin : ***ici, là, là-bas***.

1 **Regarde ce plan et réponds par vrai ou faux.**

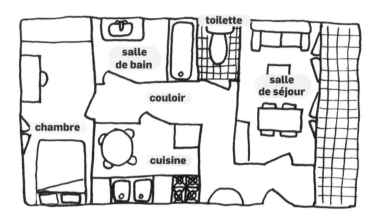

	VRAI	FAUX
a. Au fond du couloir, il y a une salle de bains.		
b. Les toilettes sont dans la salle de bains.		
c. La cuisine est entre les toilettes et la chambre.		
d. La salle de séjour est au fond du couloir.		
e. La chambre est à côté de la salle de bains.		
f. Il y a une porte entre la cuisine et la chambre.		

A1 **2** **Regarde cette image et corrige les prépositions incorrectes.**

Camille regarde la télévision. Elle est à côté du canapé. Derrière le canapé, il y a une petite table et sous la table, une plante verte. Une horloge est dans le mur : il est deux heures.

Il y a une table carrée avec trois chaises. Sur une chaise, il y a un chat. Sur la table, il y a un vase bleu avec des fleurs. Devant la fenêtre, il y a une carte du monde.

8.3 Se situer et s'orienter

La France et ses grandes villes

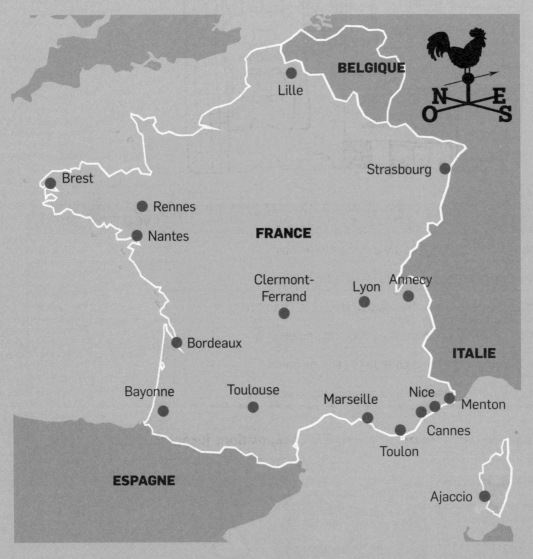

La France a six côtés. C'est pour ça qu'on l'appelle souvent l'Hexagone.
Du nord au sud et de l'est à l'ouest, elle mesure à peu près 1 000 km.
La France ouvre sur trois mers : la Manche au nord, l'océan Atlantique
à l'ouest et la Méditerranée au sud.
À l'ouest, il y a deux grandes villes : Rennes et Nantes.
Bordeaux est une ville du Sud-Ouest.
Strasbourg est une ville du Nord-Est, à la frontière avec l'Allemagne.
Au nord, il y a Lille. Juste à côté, c'est la Belgique.
Au sud-est, Marseille, Toulon et Nice.
Nice est entre Cannes et Menton. Après Menton, c'est l'Italie !
Et au centre de la France, il y a Clermont-Ferrand.

    - Vous allez à Nice cet été ?
    - Oui. Le trajet Lille-Nice est long : 1 160 km. On traverse toute la France.
    - Mais vous prenez l'autoroute ? Vous mettez combien de temps ?
    - Oui, on prend l'autoroute. On passe par Paris, Lyon, Marseille...
      On met 11 ou 12h, avec les pauses. Quand on arrive, on est fatigués !

🔊 40 ★A1 **1** **Écoute. Regarde la carte de la France et indique de quelle ville on parle.**

Ajaccio   Annecy   Bordeaux   Brest

Lille   Cannes   Strasbourg   Reims

a. Je suis une grande ville au sud-ouest de la France. Je suis très belle et célèbre pour mon bon vin. Je suis _____ .

b. Moi, je suis à l'est de la France, tout près de l'Allemagne, juste à la frontière. Je suis une ville très européenne. Je suis _____ .

c. Moi, je suis au soleil, au bord de la Méditerranée, pas loin de Nice. Et mon festival de cinéma est célèbre. En mai, toutes les stars sont là ! Je suis _____ .

d. Moi, je suis une très jolie ville près de Genève, au bord d'un lac magnifique. Vous voulez nager ? Il y a le lac. Vous voulez skier ? Il y a les Alpes pas loin. Je suis _____ .

e. Moi, je suis la ville la plus à l'ouest. Si vous continuez tout droit, vous arrivez en Amérique ! Je suis _____ .

f. Et moi, et moi, et moi ! Je ne suis pas très grande, mais j'ai une cathédrale magnifique et je suis la capitale du champagne. Je suis _____ .

g. Je suis une grande ville du Nord, tout près de la Belgique. Chez moi, il ne fait pas toujours beau, mais la vie est belle : on aime bien manger et s'amuser. Je suis _____ .

h. Je suis la plus grande ville d'une île française magnifique qu'on appelle l'île de Beauté. Avant, j'étais italienne. Napoléon est né ici. Je suis _____ .

★A1 **2** **Regarde la carte de la page précédente. Où se trouvent ces endroits ?**

a. Marseille est dans le _____ , au bord de la Méditerranée.

b. Brest est au _____ - _____ de la France.

c. Le Massif Central est dans le _____ .

d. Toulouse et Bayonne sont dans le _____ - _____ .

e. Lyon est à l' _____ de la France.

★A1 **3** **Marion explique comment aller de la place de l'Église à la place de la Paix. Dessine le plan.**

Bon, c'est facile. Tu pars de la place de l'Église. Tu vas tout droit jusqu'à la place d'Amour. Après cette place, tu prends la rue Saint-Jean à gauche, tu la continues jusqu'à la rue de Lyon et tu arrives place de la Paix. C'est juste avant la rue Pasteur. Tu verras, c'est une petite place avec des cafés et des restaurants et beaucoup de gens aux terrasses.

★ ★
★ A2 **1** **Complète avec la préposition qui convient.**

a. L'année dernière, mon frère Hugo et son copain Théo sont partis _____ Asie.
Ils sont d'abord allés _____ Corée puis _____ Japon. Ils ne sont pas allés
_____ Chine parce qu'ils n'avaient pas assez de temps.

b. - Alors ? Ça y est ? Tu pars _____ États-Unis ?
- Non. Les vacances, c'est fini. Nous revenons _____ Paris. Nous avons passé
quinze jours super !

c. - L'année prochaine, vous retournez _____ Angleterre ?
- Non. Nous allons passer deux semaines _____ centre de l'Italie.
- À Rome ?
- Pas exactement à Rome mais pas loin. C'est à la campagne, _____ Rome,
à 15 km.

d. - Tu es tout bronzé ! Tu arrives _____ où ?
- Je viens _____ Malte. Et avant, j'ai passé une semaine _____ Egypte.

★ ★
★ A2 **2** **C'est la chambre de Mélanie. Décris-la. Cherche les mots inconnus
dans le dictionnaire et utilise les prépositions : *sur, devant, au fond de,
à côté de*...**

_____
_____
_____
_____

★ ★
★ A2 **3** **À toi ! Décris ta chambre. Utilise un maximum de prépositions de lieu.**

_____
_____
_____
_____

A1 **1** **Mets les mots soulignés au pluriel. Accorde les verbes si c'est nécessaire.**

a. Hier, j'ai mangé un gâteau délicieux. ➜ _____

b. Il connaît un pays extraordinaire. ➜ _____

c. L'entreprise a fini le travail. ➜ _____

d. Tu as peur de cette souris ? ➜ _____

e. Est-ce que l'homme est un animal comme les autres ? ➜ _____

f. Monsieur, madame, bonjour ! ➜ _____

A1 **2** **Place l'adjectif à la place qui convient. Attention à la phrase g.**

a. Il a une copine. [irlandaise] ➜ _____ .

b. J'ai vu un film hier soir. [très bon] ➜ _____ .

c. Ce sont nos jours de vacances ! [derniers] ➜ _____ !

d. Charline est une fille. [jolie] [brune] ➜ _____ .

e. Il est nouveau ce pull ! [beau] [bleu marine] ➜ _____ !

f. Ce week-end, j'ai rencontré un garçon. [extraordinaire]

➜ _____ .

g. Les semaines ont été très agréables. [dernières] [deux]

➜ _____ .

h. Il a un studio. [très confortable] [petit] ➜ _____ .

A1 **3** **Complète avec l'article qui manque : _l', le, la, les, un, une, des, du, de l', de la._**

a. _____ mardi soir, nous allons à _____ bibliothèque. Elle est dans _____ rue du Nord, tout près de chez nous.

b. Nicolas est _____ garçon sympathique. Il a _____ humour et il adore rire.

c. Elle est très sportive : elle fait _____ judo et _____ karaté et elle adore _____ foot.

d. Couvre-toi bien ! _____ météo annonce _____ neige pour aujourd'hui. _____ hiver arrive !

e. Je me souviens : _____ mois d'août 2003 a été _____ mois terriblement chaud. Caniculaire !

f. Je voudrais _____ pâtes avec _____ sauce tomate et _____ fromage.

g. Ce matin, j'ai mangé _____ œufs (_____ omelette), _____ pain et _____ beurre. Et j'ai bu _____ verre de jus d'orange. Ah ! Bien sûr, j'ai aussi bu _____ café, mais pas beaucoup, seulement _____ tasse.

h. Chez nous, il y a _____ salle de séjour, deux chambres, _____ cuisine, _____ salle de bains. _____ fenêtre de ma chambre donne sur _____ rue. _____ chambre de mes parents donne sur _____ cour.

4 Écoute et coche la réponse qui convient.

A2 · 41

a. ☐ Désolée, je ne les ai pas. ☐ Oui, j'en ai. ☐ Non, je ne l'ai plus du tout.
b. ☐ Non, je ne les aime pas. ☐ Oui, j'en ai mangé. ☐ Oui, je l'ai mangé.
c. ☐ Oui, mets-en un peu. ☐ Oui, mets-la. ☐ Oui, mets-les toutes.
d. ☐ Oui, j'en ai une. ☐ Oui, j'en ai. ☐ Oui, je l'ai.
e. ☐ Si, ils en ont beaucoup. ☐ Si, ils l'ont. ☐ Si, ils en ont un.
f. ☐ Oui, j'en ai. ☐ Oui, j'en ai un. ☐ Oui, je l'ai.

5 Remplace le mot souligné par le pronom qui convient : *l', le, la, les, lui, leur.*

A1

a. - Où tu as acheté ton vélo ? Il est super ! → - Je _____ ai acheté sur Internet.
b. - Tu ne parles plus à tes voisins ? → - Non, on est fâchés, je ne _____ parle plus.
c. - Tu connais ce livre ? → - Montre ! Non, je ne _____ connais pas.
d. - Anna, tu as écrit à ta grand-mère ? → - Oui, je _____ ai envoyé un message hier soir.
e. - Ils regardent la télévision ? → Non, ils ne _____ regardent pas, ils préfèrent utiliser leur ordinateur ou leur téléphone.
f. - Tu as fait tes devoirs ? → Pas encore. Je vais _____ faire après le dîner.

6 Complète avec *pas assez, un peu, beaucoup, très, peu, trop.* **Tu dois utiliser une fois chaque mot.**

A1

a. Merci pour ce dîner. C'était _____ bon, délicieux !
b. Elle est malade. Elle a _____ bu hier soir !
c. Prends encore une tartine. Tu n'as _____ mangé. À ton âge, il faut manger !
d. Tu as _____ de monnaie, s'il te plaît ? J'ai seulement un billet de 50 euros.
e. En novembre à Paris, en général, il y a _____ de soleil et il pleut _____ .

7 Écoute et écris en chiffres puis en lettres ce que tu entends.

A2 · 42

a. Le train _____ (_____) en direction de Nantes partira voie _____ (_____).
b. Il est né le _____ (_____) mars _____ (_____).
c. Le code postal de la ville où on habite est _____ (_____).
d. Notre téléphone fixe, c'est le _____ (_____). Et le tien ?
e. Mon numéro de portable ? C'est facile ! C'est le _____ (_____).

A2 **8** **Remplace *nous* par *on* et accorde le verbe. Attention à l'orthographe.**

a. Nous achetons tout au supermarché. Et vous ?

→ On _____ .

b. Ma copine et moi, nous nous appelons dix fois par jour.

→ Ma copine et moi, on _____ .

c. Nous buvons beaucoup de café le matin mais nous mangeons très peu.

→ On _____ mais on _____ .

d. Nous voyons beaucoup nos amis Ferrari depuis que nous sommes à Milan.

→ On _____ depuis qu'on _____ .

e. Nous ne jetons jamais rien ! Nous gardons tout ! Nous sommes attachés aux choses !

→ On _____ ! On _____ ! On _____ !

A2 **9** **Écoute la question et coche la bonne réponse.**

43

a. ☐ Dans trois jours.
   ☐ Demain matin.
   ☐ Pour deux semaines.

b. ☐ Avec mon frère et sa copine.
   ☐ À Istanbul, en Turquie.
   ☐ Trois semaines.

c. ☐ Ça va très bien, merci.
   ☐ Presque toujours en bus.
   ☐ Rue des Italiens.

d. ☐ Ça coûte trop cher.
   ☐ Par l'autoroute A5.
   ☐ Parce que je me sens plus libre.

e. ☐ Oui, le 30 juin.
   ☐ Si, tous les matins.
   ☐ Parce que je serai en vacances.

f. ☐ Mon livre de maths.
   ☐ Ma voisine Sidonie.
   ☐ Ma nouvelle moto.

A1 **10** **Mets ces phrases au pluriel. Attention à l'orthographe.**

a. Il a 13 ans, il est petit et il a peur de tout ! → Ils _____ .

b. Je suis français et j'habite à Lille. → Nous _____ .

c. Quand tu fais les courses, tu paies en liquide ? → Quand vous _____

_____

d. Tu t'appelles comment ? → Vous _____ .

e. Je voyage en train, je préfère. → Nous _____ .

f. Qu'est-ce que tu fais ce soir ? Tu vas au cinéma ? → Qu'est-ce que vous _____

_____ ? Vous _____ ?

g. Il prend le bus pour aller au lycée ; moi, je vais avec ma mère en voiture.

→ Ils _____ ; nous, _____ .

h. Qu'est-ce que tu dis ? → Qu'est-ce que vous _____ ?

A1 **11** **Entoure l'adjectif possessif qui convient.**

a. Je partage ma / mon / mes chambre avec ma / mon / mes frère Ben.

b. C'est la meilleure amie de ma / mon / mes cousines.

c. Carla, s'il te plaît ! Ne mets pas ta / ton / tes pieds sur la table et arrange un peu
   ta / ton / tes cheveux !

d. Regarde : c'est la dernière photo de ma / mon / mes copain Basile. Là, il est avec
   sa / son / ses mère en vacances.

◁)) A2 **12** **Écoute la réponse et coche la question qui correspond. Attention à la phrase c.**
44

a. ☐ Pierre est là ? Tu l'as vu ? ☐ Est-ce que Pierre est parti ? ☐ Pierre habite ici ?
b. ☐ Tu travailles où ? ☐ Tu travailles avec qui ? ☐ Tu travailles encore ?
c. ☐ Tu as déjà fumé ? ☐ Tu veux une cigarette ? ☐ Tu n'as jamais fumé ?
d. ☐ Oui, il ne parle pas beaucoup. ☐ Non, rien du tout ! ☐ Non, il ne parle à personne.
e. ☐ Si, mon ami Jiro Tanaka. ☐ Non, absolument personne ! ☐ Non, rien du tout !
f. ☐ Non, elle ne vient jamais. ☐ Non, pas encore. On l'attend ! ☐ Non, plus rien.

A2 **13** **Coche les deux phrases qui ont le même sens.**

a. ☐ Je vais lui écrire. ☐ J'ai déjà écrit. ☐ Je n'ai pas encore écrit.
b. ☐ Ils viennent de partir. ☐ Ils sont partis. ☐ Ils partent.
c. ☐ Ils sont en train de partir. ☐ Ils vont partir. ☐ Ils partent.
d. ☐ Tu veux partir ? ☐ Tu es déjà parti. ☐ Tu n'es pas encore parti.

A2 **14** **Conjugue l'infinitif au passé composé. Attention aux phrases c et d.**

a. Elles _____ (arriver) au lycée avec une heure de retard.

Elles _____ (devoir) aller chez le directeur et

elles _____ (avoir) une heure de colle*.

b. Nous _____ (prendre) le bus, et après

nous _____ (marcher) un peu.

c. Lisa et Clara _____ (passer) un mois au bord de la mer.

Elles _____ (rentrer) à Paris bien bronzées.

d. En octobre, ils _____ (s'inscrire) à un cours de boxe thaïlandaise.

Mais, finalement, un mois plus tard, ils _____ (abandonner).

C'était trop difficile.

e. Elles _____ (travailler) toute la journée, et le soir, elles _____

(sortir). Elles _____ (aller) faire une grande promenade au bord de l'eau.

* *une heure de colle* → de retenue, de punition

A2 **15** **Bruno a 17 ans. Il a noté ce qu'il a fait mardi dernier en style télégraphique. Développe avec des phrases complètes. Utilise le passé composé pour les actions et l'imparfait pour les descriptions ou les commentaires.**

mardi
8h - 12h Lycée. Cours de biologie super.
Mais maths, horrible !
13h Déjeuner (cantine) avec Lou et Marion.
14h-16h Foot. Victoire 3 buts à 0.
On est les champions !
17h RV avec Margot (café de la Paix).
Très bien !
20h50 Terminator à la télé. Génial !

16 **Complète avec *depuis, il y a, pendant, dans* ou *en*.**

a. _____ deux mois, je suis parti avec mon père faire une excursion dans les Alpes. Lui, il fait de l'alpinisme _____ longtemps, mais pour moi c'était la première fois. J'ai beaucoup aimé ça et on va y retourner _____ un mois, _____ les vacances d'été.

b. _____ deux ans, le vainqueur du marathon de New York a parcouru 42,195 km _____ deux heures et deux minutes. _____ des années, il s'entraînait _____ cinq ou six heures par jour, tous les jours ! Et je pense qu'il continue au même rythme ! Il s'est inscrit pour le prochain marathon _____ six semaines.

c. Elle a gagné le prix de la meilleure actrice à Cannes _____ dix ans, mais _____ ce triomphe, plus rien ! Elle a presque disparu des écrans de cinéma. _____ dix ans, on l'a vue seulement dans trois ou quatre films sans intérêt. Mais on dit que _____ deux mois elle va enfin avoir le premier rôle dans une superproduction américaine.

17 **Complète avec *donc, mais, parce que, pour, pourtant*.**

a. Ils marchent dans le désert depuis deux jours. Ils sont _____ terriblement fatigués et ils doivent absolument se reposer.

b. Je ne comprends pas. Elle n'a pas été reçue à son examen et _____, c'est une excellente élève !

c. Il n'est pas venu au lycée ce matin _____ il avait un rendez-vous médical important.

d. Lui, il est assez sympa _____ je n'aime pas beaucoup ses copains.

e. Il adore faire le clown _____ amuser ses amis.

18 **Complète avec les formes du comparatif ou du superlatif qui conviennent.**

a. Victor et sa femme ont exactement le même salaire. Elle gagne _____ argent que lui.

b. Il y a beaucoup _____ habitants à Tokyo qu'à Paris.

c. C'est vrai, mais pour la pollution c'est la même chose, je crois : il y a _____ pollution à Paris qu'à Tokyo.

d. Tu as des notes _____ bonnes que l'année dernière. C'est normal : tu ne travailles pas assez, tu penses seulement à t'amuser cette année.

e. Le Petit Poucet a huit frères, c'est le dernier enfant de la famille. Il est tout petit, mais c'est le _____ intelligent et le _____ courageux de tous !

f. _____ résultat est le résultat d'Alicia : 20/20. Bravo, Alicia, c'est parfait ! Mais la note d'Hector est presque _____ bonne : 19/20. C'est très bien !

🔊 ⋆A2⋆ **19** **Écoute ces phrases et indique le panneau qui correspond.**
45

ATTENTION
Ne pas marcher sur
les pelouses

a

**STATIONNEMENT
INTERDIT LE MARDI,
JOUR DE MARCHÉ,
ENTRE 6h ET 14h**

b

**RALENTIR :
ÉCOLE**

c

**ON LIQUIDE !
FIN DES SOLDES**

d

**PISCINE RÉSERVÉE AUX SCOLAIRES
DE 8h30 À 12h30 AUJOURD'HUI**

e

**RESPECTEZ CE
LIEU : SILENCE !**

f

**TOUS LES JEUDIS
-10% SUR TOUS
VOS ACHATS**

g

**LES CHIENS
N'ENTRENT
PAS ICI !**

h

a	b	c	d	e	f	g	h

⋆A2⋆ **20** **Compréhension écrite.**

• • •

POUR TON ANNIVERSAIRE, UNE BONNE IDÉE DE CADEAU

🐗🐗🐗🐗 UN ABONNEMENT À GÉO ADO 🐗🐗🐗🐗

Chaque mois, *Géo Ado* t'invite à explorer le monde. À travers une grande enquête, tu vas suivre des aventures extraordinaires et découvrir des cultures et des populations nouvelles. Tu vas découvrir la beauté et la diversité de notre planète. Lire *Géo Ado* va te donner envie de voyager...

Et deux fois par an, *Géo Ado* te fait voyager non seulement dans l'espace mais aussi dans le temps ! En effet, chaque hors-série *Géo Ado* se compose d'un hors-série histoire et d'un hors-série science.
Chaque hors-série *Géo Ado* histoire raconte la vie d'un personnage historique qui explore son époque.

Abonne-toi à *Géo Ado*, tu auras douze numéros de *Géo Ado* et deux hors-séries de qualité.

	VRAI	FAUX
a. *Géo Ado* s'adresse aux adolescents.		
b. C'est un journal mensuel.		
c. Il y a quatre hors-séries chaque année.		
d. C'est un journal scientifique.		

CONJUGAISON

AVOIR

participe passé : eu

INDICATIF				IMPÉRATIF	CONDITIONNEL
présent	passé composé	imparfait	futur simple	présent	présent
j'ai	j'ai eu	j'avais	j'aurai	aie	j'aurais
tu as	tu as eu	tu avais	tu auras		tu aurais
il/elle/on a	il/elle/on a eu	il/elle/on avait	il/elle/on aura		il/elle/on aurait
nous avons	nous avons eu	nous avions	nous aurons	ayons	nous aurions
vous avez	vous avez eu	vous aviez	vous aurez	ayez	vous auriez
ils/elles ont	ils/elles ont eu	ils/elles avaient	ils/elles auront		ils/elles auraient

ÊTRE

participe passé : été

INDICATIF				IMPÉRATIF	CONDITIONNEL
présent	passé composé	imparfait	futur simple	présent	présent
je suis	j'ai été	j'étais	je serai	sois	je serais
tu es	tu as été	tu étais	tu seras		tu serais
il/elle/on est	il/elle/on a été	il/elle/on était	il/elle/on sera		il/elle/on serait
nous sommes	nous avons été	nous étions	nous serons	soyons	nous serions
vous êtes	vous avez été	vous étiez	vous serez	soyez	vous seriez
ils/elles sont	ils/elles ont été	ils/elles étaient	ils/elles seront		ils/elles seraient

PARLER

participe passé : parlé

INDICATIF				IMPÉRATIF	CONDITIONNEL
présent	passé composé	imparfait	futur simple	présent	présent
je parle	j'ai parlé	je parlais	je parlerai	parle	je parlerais
tu parles	tu as parlé	tu parlais	tu parleras		tu parlerais
il/elle/on parle	il/elle/on a parlé	il/elle/on parlait	il/elle/on parlera		il/elle/on parlerait
nous parlons	nous avons parlé	nous parlions	nous parlerons	parlons	nous parlerions
vous parlez	vous avez parlé	vous parliez	vous parlerez	parlez	vous parleriez
ils/elles parlent	ils/elles ont parlé	ils/elles parlaient	ils/elles parleront		ils/elles parleraient

ENVOYER

participe passé : envoyé

INDICATIF				IMPÉRATIF	CONDITIONNEL
présent	passé composé	imparfait	futur simple	présent	présent
j'envoie	j'ai envoyé	j'envoyais	j'enverrai	envoie	j'enverrais
tu envoies	tu as envoyé	tu envoyais	tu enverras		tu enverrais
il/elle/on envoie	il/elle/on a envoyé	il/elle/on envoyait	il/elle enverra		il/elle/on enverrait
nous envoyons	nous avons envoyé	nous envoyions	nous enverrons	envoyons	nous enverrions
vous envoyez	vous avez envoyé	vous envoyiez	vous enverrez	envoyez	vous enverriez
ils/elles envoient	ils/elles ont envoyé	ils/elles envoyaient	ils/elles enverront		ils/elles enverraient

SE LEVER

participe passé : levé

INDICATIF				IMPÉRATIF	CONDITIONNEL
présent	passé composé	imparfait	futur simple	présent	présent
je me lève	je me suis levé(e)	je me levais	je me lèverai	lève-toi	je me lèverais
tu te lèves	tu t'es levé(e)	tu te levais	tu te lèveras		tu te lèverais
il/elle/on se lève	il/elle/on s'est levé(e)	il/elle/on se levait	il/elle/on se lèvera		il/elle/on se lèverait
nous nous levons	nous nous sommes levé(e)s	nous nous levions	nous nous lèverons	levons-nous	nous nous lèverions
vous vous levez	vous vous êtes levé(e)(s)	vous vous leviez	vous vous lèverez	levez-vous	vous vous lèveriez
ils/elles se lèvent	ils/elles se sont levé(e)s	ils/elles se levaient	ils/elles se lèveront		ils/elles se lèveraient

CONJUGAISON

FINIR

participe passé : fini

INDICATIF				IMPÉRATIF	CONDITIONNEL
présent	**passé composé**	**imparfait**	**futur simple**	**présent**	**présent**
je finis	j'ai fini	je finissais	je finirai	finis	je finirais
tu finis	tu as fini	tu finissais	tu finiras		tu finirais
il/elle/on finit	il/elle/on a fini	il/elle/on finissait	il/elle/on finira		il/elle/on finirait
nous finissons	nous avons fini	nous finissions	nous finirons	finissons	nous finirions
vous finissez	vous avez fini	vous finissiez	vous finirez	finissez	vous finiriez
ils/elles finissent	ils/elles ont fini	ils/elles finissaient	ils/elles finiront		ils/elles finiraient

ALLER

participe passé : allé

INDICATIF				IMPÉRATIF	CONDITIONNEL
présent	**passé composé**	**imparfait**	**futur simple**	**présent**	**présent**
je vais	je suis allé(e)	j'allais	j'irai	va	j'irais
tu vas	tu es allé(e)	tu allais	tu iras		tu irais
il/elle/on va	il/elle/on est allé(e)	il/elle/on allait	il/elle/on ira		il/elle/on irait
nous allons	nous sommes allé(e)s	nous allions	nous irons	allons	nous irions
vous allez	vous êtes allé(e)(s)	vous alliez	vous irez	allez	vous iriez
ils/elles vont	ils/elles sont allé(e)s	ils/elles allaient	ils/elles iront		ils/elles iraient

CONNAÎTRE

participe passé : connu

INDICATIF				IMPÉRATIF	CONDITIONNEL
présent	**passé composé**	**imparfait**	**futur simple**	**présent**	**présent**
je connais	j'ai connu	je connaissais	je connaîtrai	connais	je connaîtrais
tu connais	tu as connu	tu connaissais	tu connaîtras		tu connaîtrais
il/elle/on connaît	il/elle/on a connu	il/elle/on connaissait	il/elle/on connaîtra		il/elle/on connaîtrait
nous connaissons	nous avons connu	nous connaissions	nous connaîtrons	connaissons	nous connaîtrions
vous connaissez	vous avez connu	vous connaissiez	vous connaîtrez	connaissez	vous connaîtriez
ils/elles connaissent	ils/elles ont connu	ils/elles connaissaient	ils/elles connaîtront		ils/elles connaîtraient

DEVOIR

participe passé : dû

INDICATIF				IMPÉRATIF	CONDITIONNEL
présent	**passé composé**	**imparfait**	**futur simple**	**présent**	**présent**
je dois	j'ai dû	je devais	je devrai		je devrais
tu dois	tu as dû	tu devais	tu devras		tu devrais
il/elle/on doit	il/elle/on a dû	il/elle/on devait	il/elle/on devra		il/elle/on devrait
nous devons	nous avons dû	nous devions	nous devrons		nous devrions
vous devez	vous avez dû	vous deviez	vous devrez		vous devriez
ils/elles doivent	ils/elles ont dû	ils/elles devaient	ils/elles devront		ils/elles devraient

ÉCRIRE

participe passé : écrit

INDICATIF				IMPÉRATIF	CONDITIONNEL
présent	**passé composé**	**imparfait**	**futur simple**	**présent**	**présent**
j'écris	j'ai écrit	j'écrivais	j'écrirai	écris	j'écrirais
tu écris	tu as écrit	tu écrivais	tu écriras		tu écrirais
il/elle/on écrit	il/elle/on a écrit	il/elle/on écrivait	il/elle/on écrira		il/elle/on écrirait
nous écrivons	nous avons écrit	nous écrivions	nous écrirons	écrivons	nous écririons
vous écrivez	vous avez écrit	vous écriviez	vous écrirez	écrivez	vous écririez
ils/elles écrivent	ils/elles ont écrit	ils/elles écrivaient	ils/elles écriront		ils/elles écriraient

FAIRE

participe passé : *fait*

INDICATIF				IMPÉRATIF	CONDITIONNEL
présent	**passé composé**	**imparfait**	**futur simple**	**présent**	**présent**
je fais	j'ai fait	je faisais	je ferai	fais	je ferais
tu fais	tu as fait	tu faisais	tu feras		tu ferais
il/elle/on fait	il/elle/on a fait	il/elle/on faisait	il/elle/on fera		il/elle/on ferait
nous faisons	nous avons fait	nous faisions	nous ferons	faisons	nous ferions
vous faites	vous avez fait	vous faisiez	vous ferez	faites	vous feriez
ils/elles font	ils/elles ont fait	ils/elles faisaient	ils/elles feront		ils/elles feraient

METTRE

participe passé : *mis*

INDICATIF				IMPÉRATIF	CONDITIONNEL
présent	**passé composé**	**imparfait**	**futur simple**	**présent**	**présent**
je mets	j'ai mis	je mettais	je mettrai	mets	je mettrais
tu mets	tu as mis	tu mettais	tu mettras		tu mettrais
il/elle/on met	il/elle/on a mis	il/elle/on mettait	il/elle/on mettra		il/elle/on mettrait
nous mettons	nous avons mis	nous mettions	nous mettrons	mettons	nous mettrions
vous mettez	vous avez mis	vous mettiez	vous mettrez	mettez	vous mettriez
ils/elles mettent	ils/elles ont mis	ils/elles mettaient	ils/elles mettront		ils/elles mettraient

PARTIR

participe passé : *parti*

INDICATIF				IMPÉRATIF	CONDITIONNEL
présent	**passé composé**	**imparfait**	**futur simple**	**présent**	**présent**
je pars	je suis parti(e)	je partais	je partirai	pars	je partirais
tu pars	tu es parti(e)	tu partais	tu partiras		tu partirais
il/elle/on part	il/elle/on est parti(e)	il/elle/on partait	il/elle/on partira		il/elle/on partirait
nous partons	nous sommes parti(e)s	nous partions	nous partirons	partons	nous partirions
vous partez	vous êtes parti(e)(s)	vous partiez	vous partirez	partez	vous partiriez
ils/elles partent	ils/elles sont parti(e)s	ils/elles partaient	ils/elles partiront		ils/elles partiraient

POUVOIR

participe passé : *pu*

INDICATIF				IMPÉRATIF	CONDITIONNEL
présent	**passé composé**	**imparfait**	**futur simple**	**présent**	**présent**
je peux	j'ai pu	je pouvais	je pourrai		je pourrais
tu peux	tu as pu	tu pouvais	tu pourras		tu pourrais
il/elle/on peut	il/elle/on a pu	il/elle/on pouvait	il/elle/on pourra		il/elle/on pourrait
nous pouvons	nous avons pu	nous pouvions	nous pourrons		nous pourrions
vous pouvez	vous avez pu	vous pouviez	vous pourrez		vous pourriez
ils/elles peuvent	ils/elles ont pu	ils/elles pouvaient	ils/elles pourront		ils/elles pourraient

PRENDRE

participe passé : *pris*

INDICATIF				IMPÉRATIF	CONDITIONNEL
présent	**passé composé**	**imparfait**	**futur simple**	**présent**	**présent**
je prends	j'ai pris	je prenais	je prendrai	prends	je prendrais
tu prends	tu as pris	tu prenais	tu prendras		tu prendrais
il/elle/on prend	il/elle/on a pris	il/elle/on prenait	il/elle/on prendra		il/elle/on prendrait
nous prenons	nous avons pris	nous prenions	nous prendrons	prenons	nous prendrions
vous prenez	vous avez pris	vous preniez	vous prendrez	prenez	vous prendriez
ils/elles prennent	ils/elles ont pris	ils/elles prenaient	ils/elles prendront		ils/elles prendraient

CONJUGAISON

SAVOIR

participe passé : *su*

INDICATIF				IMPÉRATIF	CONDITIONNEL
présent	**passé composé**	**imparfait**	**futur simple**	**présent**	**présent**
je sais	j'ai su	je savais	je saurai	sache	je saurais
tu sais	tu as su	tu savais	tu sauras		tu saurais
il/elle/on sait	il/elle/on a su	il/elle/on savait	il/elle/on saura		il/elle/on saurait
nous savons	nous avons su	nous savions	nous saurons	sachons	nous saurions
vous savez	vous avez su	vous saviez	vous saurez	sachez	vous sauriez
ils/elles savent	ils/elles ont su	ils/elles savaient	ils/elles sauront		ils/elles sauraient

VENIR

participe passé : *venu*

INDICATIF				IMPÉRATIF	CONDITIONNEL
présent	**passé composé**	**imparfait**	**futur simple**	**présent**	**présent**
je viens	je suis venu(e)	je venais	je viendrai	viens	je viendrais
tu viens	tu es venu(e)	tu venais	tu viendras		tu viendrais
il/elle/on vient	il/elle/on est venu(e)	il/elle/on venait	il/elle/on viendra		il/elle/on viendrait
nous venons	nous sommes venu(e)s	nous venions	nous viendrons	venons	nous viendrions
vous venez	vous êtes venu(e)(s)	vous veniez	vous viendrez	venez	vous viendriez
ils/elles viennent	ils/elles sont venu(e)s	ils/elles venaient	ils/elles viendront		ils/elles viendraient

VIVRE

participe passé : *vécu*

INDICATIF				IMPÉRATIF	CONDITIONNEL
présent	**passé composé**	**imparfait**	**futur simple**	**présent**	**présent**
je vis	j'ai vécu	je vivais	je vivrai	vis	je vivrais
tu vis	tu as vécu	tu vivais	tu vivras		tu vivrais
il/elle/on vit	il/elle/on a vécu	il/elle/on vivait	il/elle/on vivra		il/elle/on vivrait
nous vivons	nous avons vécu	nous vivions	nous vivrons	vivons	nous vivrions
vous vivez	vous avez vécu	vous viviez	vous vivrez	vivez	vous vivriez
ils/elles vivent	ils/elles ont vécu	ils/elles vivaient	ils/elles vivront		ils/elles vivraient

VOIR

participe passé : *vu*

INDICATIF				IMPÉRATIF	CONDITIONNEL
présent	**passé composé**	**imparfait**	**futur simple**	**présent**	**présent**
je vois	j'ai vu	je voyais	je verrai	vois	je verrais
tu vois	tu as vu	tu voyais	tu verras		tu verrais
il/elle/on voit	il/elle/on a vu	il/elle/on voyait	il/elle/on verra		il/elle/on verrait
nous voyons	nous avons vu	nous voyions	nous verrons	voyons	nous verrions
vous voyez	vous avez vu	vous voyiez	vous verrez	voyez	vous verriez
ils/elles voient	ils/elles ont vu	ils/elles voyaient	ils/elles verront		ils/elles verraient

VOULOIR

participe passé : *voulu*

INDICATIF				IMPÉRATIF	CONDITIONNEL
présent	**passé composé**	**imparfait**	**futur simple**	**présent**	**présent**
je veux	j'ai voulu	je voulais	je voudrai	veuille	je voudrais
tu veux	tu as voulu	tu voulais	tu voudras		tu voudrais
il/elle/on veut	il/elle/on a voulu	il/elle/on voulait	il/elle/on voudra		il/elle/on voudrait
nous voulons	nous avons voulu	nous voulions	nous voudrons	voulons	nous voudrions
vous voulez	vous avez voulu	vous vouliez	vous voudrez	veuillez	vous voudriez
ils/elles veulent	ils/elles ont voulu	ils/elles voulaient	ils/elles voudront		ils/elles voudraient

VERBES		EXEMPLES
acheter	qqch (**à** qqn)	*Il a acheté un cadeau à sa sœur.*
aimer	qqn / qqch + infinitif	*J'aime mon copain Nicolas. ~ J'aime le sport.* *J'aime beaucoup danser.*
aller	**à, à la, au, chez...** + infinitif	*Ce soir on va chez Émilie, et après on va au cinéma.* *Demain, on va dîner chez Sonia.* (➜ futur proche)
appeler	qqn	*On dîne ! Appelle ton père !* (Dis-lui de venir.) *Tu as appelé ta grand-mère.* (au téléphone)
apporter	qqch (**à** qqn)	*J'ai apporté des chocolats aux enfants.*
apprendre	qqch qqch à qqn **à** + infinitif	*Il n'a pas appris sa leçon, il ne la sait pas.* *Il nous a appris la bonne nouvelle ce matin.* *Elle n'a jamais appris à conduire.*
arriver	 **à faire** qqch	*Attends-moi ! J'arrive !* *Je n'arrive pas à faire cet exercice. Tu peux m'aider ?*
attendre	qqn qqch	*Tu attends Lou ? Elle arrive tout de suite.* *Elle attend une lettre de son copain italien.*
avoir	qqn qqch + âge + yeux, cheveux... + ...	*Ils ont deux enfants.* *J'ai eu un scooter pour mon anniversaire.* *Il a dix-sept ans.* *J'ai les yeux noirs et les cheveux blonds.* *avoir peur, avoir mal (à la tête, aux pieds...), avoir faim, avoir soif,* *avoir chaud, avoir froid, avoir sommeil* (sans article)
avoir besoin de	+ qqn ou qqch + infinitif	*J'ai besoin de toi. ~ Il a besoin de lunettes.* *Il est fatigué, il a besoin de dormir.*
avoir envie de	+ qqch + infinitif	*J'ai envie d'un bon chocolat chaud.* *J'ai envie d'aller à la campagne dimanche.*
changer	 **de** + qqn ou qqch	*Depuis l'année dernière, il a beaucoup changé.* (➜ Il est devenu différent.) *Elle change de copains toutes les semaines ! / Tu changes de robe pour sortir ?*
commencer	 qqch **à faire** qqch	*Allez, Bruno. C'est toi qui commences !* *J'ai commencé le judo l'année dernière.* *Tu commences à travailler à quelle heure ?*
comprendre	 qqn qqch	*Ça y est ? Vous avez compris ?* *Il parle trop vite, on ne le comprend pas.* *Je ne comprends pas tes explications.*
connaître	qqn qqch	*Tu connais cette actrice ?* *On ne connaît pas encore Paris.*
continuer	 qqch **à** (**de**) + infinitif	*C'est très bien ! Continue !* *Je sors dix minutes. Continuez le travail !* *Il continue à (de) pleuvoir.*
croire	qqn (**à**) qqch / qqch **que**	*Il ne faut pas toujours croire ses enfants...* *Je ne crois pas du tout (à) tes histoires ! Tu mens !* *Je crois qu'il est parti* (➜ je pense que)

CONSTRUCTION DES VERBES

VERBES		EXEMPLES
demander	qqn qqch (**à** qqn) **à** qqn **de** + inf.	*On demande un spécialiste en informatique.* *Demande la permission à tes parents.* *Il a demandé à ses parents de passer le week-end chez Lucas.*
dépêcher (se)	**de** + infinitif	*Allez ! Vite ! Dépêchons-nous !* *Dépêche-toi de t'habiller ! Tu vas être en retard !*
détester	qqn qqch + infinitif	*Je déteste ce garçon, il est horrible !* *Ils détestent le foot.* *Il déteste se lever tôt.*
devoir	qqch (à qqn) + infinitif	*Je vous dois combien ?* *On doit être à la gare à sept heures.*
dire	qqch (à qqn) **à** qqn **de** + infinitif **que**	*Tu lui as dit la vérité ?* *Elle a dit à sa fille de se dépêcher.* *Ils disent qu'ils sont très contents.*
donner	qqch (**à** qqn) **sur**	*On a donné un cadeau à Lucie pour ses 15 ans.* *La cuisine donne sur la rue (➔ On voit la rue par la fenêtre.)*
écrire	qqch qqch **à** qqn **à** qqn + inf. **à** qqn + **que**	*Allez ! Prenez vos stylos et écrivez !* *Il a écrit un roman policier.* *Tu as écrit un SMS à Laure ?* *J'ai écrit à ma correspondante de venir chez moi à Noël.* *Il nous écrit que tout va bien.*
entendre	qqn qqch **que**	*Tu as entendu le bébé ? Il pleure.* *Chut ! J'ai entendu un bruit dans le jardin.* *J'ai entendu à la radio qu'il va neiger demain.*
essayer	qqch **de** + infinitif	*C'est facile ! Allez ! Essaie encore une fois !* *Je peux essayer cette veste, s'il vous plaît ? (dans un magasin)* *Je vais essayer de travailler un peu plus cette année.*
être	+ adjectif + métier qqn + lieu + heure	*Elle est très jolie. ~ Elle est chinoise.* *Il est architecte. (sans article !)* *Tu es la sœur d'Alexandre ?* *Salut ! On est à Montréal !* *Il est dix heures. (**il** impersonnel).*
expliquer	qqch (à qqn) à qqn que	*Tu peux m'expliquer cet exercice de maths, s'il te plaît ?* *Le professeur nous explique qu'il sera absent deux jours.*
faire	qqch + activité + mesure + prix + durée Il fait + temps	*On fait un gâteau ?* *Je fais du piano, Karen fait du théâtre et Léo fait du judo.* *L'appartement fait 100 m². ~ Lucas fait 1,70 mètre.* *Ça fait dix-huit euros.* *Ça fait deux heures que je t'attends !* *Il fait beau, Il fait mauvais, Il fait gris, Il fait chaud, Il fait froid...* *(**il** impersonnel)*
il faut	qqch + infinitif	*Pour le gâteau, il faut de la farine, des œufs, du lait...* *Il ne faut pas se disputer !*

VERBES		EXEMPLES
finir		*Ça y est ! J'ai fini ! Je peux sortir ?*
	qqch	*Finis ton travail, tu iras jouer après.*
	de + infinitif	*Ils finissent de travailler à six heures.*
	par + infinitif	*C'était très difficile mais il a fini par réussir.*
habiter		*Il habite rue de Belleville ou avenue Kennedy ?*
		Tu habites à Lyon ou à Marseille ?
		Elle habite dans un très bel appartement, au 28ᵉ étage.
interdire		*C'est interdit !*
	à qqn de + inf.	*Je vous interdis de parler comme ça !*
inviter	qqn	*Tu as invité tous tes copains ?*
	qqn + **à** + nom	*Il nous invite à son anniversaire.*
	qqn + **à** + inf.	*Je vous invite à déjeuner dimanche.*
mettre	qqch	*Je mets une veste ou un manteau ?*
	qqch + lieu	*Mets ton passeport dans ton sac.*
	+ durée	*On a mis une heure pour faire vingt kilomètres.*
parler		*Il a six mois, il ne parle pas encore.*
	+ une langue	*Elle parle anglais, français et italien.*
	à qqn	*Il ne parle plus à Vanessa. Ils sont fâchés.*
	de qqn	*Parle-moi de tes copains.*
	de qqch	*Parle-moi de tes cours.*
partir		*On peut partir ?*
	+ lieu (**à**, **en**, **au**)	*Tu pars à Rome ? Non, je ne pars pas en Italie, je pars au Portugal.*
passer	qqch à qqn	*Tu me passes ton livre ? (➤ donner, prêter)*
	+ lieu	*Je suis passée chez toi ce matin. ~ Passe à la boulangerie. ~*
		Pour aller en Allemagne, tu passes par Strasbourg ?
	+ infinitif	*Je passerai te chercher à huit heures.*
penser	**à** qqn	*Pense à moi. Ne m'oublie pas !*
	à qqch	*Tu as pensé à son anniversaire ?*
	qqch **de** qqn	*Qu'est-ce que tu penses de Mathias ? Tu l'aimes bien ?*
	qqch **de** qqch	*Qu'est-ce que tu penses de ce livre ?*
	à + infinitif	*Je n'ai pas pensé à faire ce devoir.*
	que	*Tu penses qu'il va réussir son examen ?*
permettre	qqch **à** qqn	*Elle ne permet rien à personne !*
	à qqn de faire qqch	*Tu me permets de sortir ce soir ?*
préférer	qqn	*Tu préfères Carla ou Léa ?*
	qqch	*Moi, je préfère le bleu. Et toi ?*
	+ infinitif	*Inès préfère travailler toute seule.*
prendre	qqch	*Qu'est-ce que tu prends ? Un café ?*
		Je vais prendre des oranges et un ananas. (➤ acheter)
		Il m'a pris mon stylo ! (➤ emprunté, volé)
	+ une direction	*Prenez la deuxième rue à gauche.*
	+ moyen de transport	*On prend le bus ou le métro ?*

CONSTRUCTION DES VERBES

VERBES		EXEMPLES
répondre	**à** qqn **que**	*Allez ! Réponds ! Dis quelque chose !* *Il t'a dit bonjour. Réponds-lui !* *Il te demande de l'argent ? Réponds-lui que tu n'en as pas.*
savoir	qqch + infinitif **que** **comment** **où** **quand** **pourquoi**	*Je ne sais pas !* *Tu sais ta leçon ?* *Il ne sait pas dessiner.* *Tu sais que ta grand-mère vient dîner ce soir ?* *Je ne sais pas comment faire / comment il faut faire.* *Elle ne sait pas où aller / où elle peut aller.* *Tu sais quand les cours finissent ?* *Je ne sais pas pourquoi elle est en colère.*
se souvenir	**de** qqn **de** qqch **que**	*Il ne se souvient pas de son grand-père.* *Tu te souviens de nos vacances en Espagne ?* *Je me souviens qu'il faisait très chaud !*
téléphoner	**à** qqn	*Si tu as un problème, téléphone-moi !*
tenir	qqch qqn	*Tiens bien ma main !* *Tiens ta petite sœur, elle va tomber.*
tourner	+ partie du corps **à** + direction	*Tournez-vous. Oui, la jupe vous va très bien.* *Il ne faut pas tourner le dos aux gens.* *Tournez à droite / à gauche.*
venir	+ lieu	*Viens !* *Tu viens chez moi ? Il vient de Suède ou de Norvège ?* *Il vient en vacances avec nous.*
vouloir	qqch + infinitif	*Vous voulez des croissants ou des toasts ?* *Elle ne veut pas rester toute seule à la maison.*

1.1 Les pronoms personnels sujets, p. 9
1. a. Vous **b.** Je **c.** Vous **d.** Nous **e.** Il **f.** Elles
🔊 **2.** Vous de politesse (singulier) : **a**, **b** et **e** / Vous pluriel : **c**, **d** et **f**.
1 **3. a.** Vous pouvez / s'il vous plaît **b.** tu peux / s'il te plaît **c.** vous voulez / vous pouvez / s'il vous plaît **d.** vous pouvez / tu as / tu peux
4. a. nous **b.** quelqu'un **c.** nous **d.** les gens **e.** quelqu'un
5. on est amis ~ on habite ~ on aime ~ on va ~ on construit ~ on joue~ on peut ~ on est

1.2 Les pronoms toniques, p. 11
🔊 **1. a.** moi **b.** vous **c.** eux **d.** à elle **e.** à lui **f.** nous **g.** toi **h.** nous **i.** moi
2 **2. a.** c'est elle **b.** c'est moi **c.** ce sont eux **d.** ce n'est pas moi **e.** pas lui !
3. chez lui / elle, elle a 22 ans / je vais chez eux / Et toi, tu vas où ? / Je ne pars pas avec eux
4. c'est lui / blond comme toi / moi, j'ai les yeux bleus et lui, il a les yeux noirs / Elle, elle ressemble…, elle est brune comme elle
5. a. moi non plus **b.** non plus **c.** elle aussi
6. moi-même ~ elle-même

1.3 Les noms (1), p. 13
1. a. Nicolas et ses parents ont visité Rome l'année dernière. **b.** Ils ont visité le Colisée, le musée du Vatican et d'autres endroits très intéressants. **c.** Moi, je suis allé à Paris, j'ai passé une semaine chez mes copains Greg et Karen. **d.** Adèle est une chanteuse célèbre. Elle est née à Londres en 1988.
🔊 **2.** un artiste ~ un journal ~ une amie ~ une voisine ~ une copine ~ un
3 Italien ~ un Japonais ~ une Belge ~ un Anglais ~ une Iranienne~ une élève ~ un pays (attention un/une Belge et un/une élève ➜ même forme au masculin et au féminin).
3. Noms féminins ➜ directrice ~ danseuse ~ serveuse ~ pharmacienne ~ actrice ~ coiffeuse ~ pâtissière ~ musicienne ~ infirmière
4. une réalisatrice ~ une serveuse ~ un coiffeur ~ une boulangère ~ un chirurgien ~ un bâtiment ~ une réflexion ~ un carnaval ~ une passion ~ un garage ~ un chapeau ~ une chaussure ~ un radiateur ~ un téléphone ~ un professeur
5. a. Elle est serveuse **b.** Elle est pharmacienne **c.** Elle est pâtissière **d.** Elle est ministre **e.** Elle est vendeuse
6. a. un chapeau ~ un manteau **b.** un stylo **c.** un texto **d.** du vélo **e.** mal au dos **f.** un abricot

1.4 Les noms (2), p. 15
1. a. des hommes **b.** des prix **c.** des cafés **d.** des collégiens **e.** des journaux **f.** des pays **g.** des cinémas **h.** des festivals **i.** des hôpitaux **j.** des Polonais
2. a. un tableau **b.** un cheval **c.** un enfant **d.** une noix **e.** un Anglais **f.** un monsieur **g.** un jeu **h.** un fils **i.** une Italienne **j.** un Chinois
3. a. les journaux **b.** un bras **c.** les messieurs **d.** le mois **e.** des travaux **f.** une voix **g.** des cadeaux **h.** un fils
4. Elle a les cheveux blonds et les yeux bleus ~ Elle porte un manteau noir et des chaussures (ou des baskets) blanches. À la main, elle a des gâteaux ~ Il a les cheveux et les yeux noirs ~ Il porte des pantalons (ou des jeans) bleus et des chaussures (ou des baskets) rouges ~ Il porte des livres et des cahiers (ou des papiers)

1.5 Les présentatifs, p. 17
1. Il y a un lit, une télé, un ballon, des baskets, un chien… ~ Il y a un bureau et sur le bureau, il y a des livres, des ciseaux, deux stylos, une lampe, une plante, des cahiers…
2. Qui est-ce ? ➜ **a**, **b** et **e** (des personnes) / Qu'est-ce que c'est ? ➜ **c**, **d**, **f** et **g** (des choses)
3. a. C'est Anita Jacquart. C'est mon amie. Elle est dans la même classe que moi. C'est une excellente élève, elle est bonne dans toutes les matières. **b.** Oui, c'est le nouveau prof de gym. Il est champion de boxe. / Ah bon ! Il est dangereux ! / Mais non ! Il est doux comme un agneau. Et il est très amusant **c.** Elle est américaine. C'est une actrice célèbre. Elle est mariée / C'est… Angelina Jolie.
4. a. interdit **b.** intéressant / fatigant **c.** long **d.** haut **e.** petit / beau cher

1.6 Les adjectifs qualificatifs (1), p. 19
🔊 **1.** adjectifs masculins ➜ petit ~ gros ~ vieux ~ nouveau ~ mauvais ~
4 fou ~ jaloux ~ premier
adjectifs féminins ➜ blonde ~ brune ~ belle~ allemande ~ bonne
même prononciation pour le masculin et le féminin ➜ tranquille~ aimable ~ espagnole ~ difficile ~ correcte ~ directe ~ facile ~ sympathique
2. a. active **b.** sympathique **c.** brésilienne **d.** américaine **e.** magnifique **f.** chinoise **g.** grecque
3. Ma voisine Nancy est très gentille ~ C'est une jolie fille avec des cheveux roux et des yeux bleus ~ Elle est très grande et très sportive ~ Elle est championne de l'équipe de France junior
4. a. un bel appartement / un vieux quartier **b.** le nouvel élève est très beau **c.** son nouvel amoureux est un bel homme de 30 ans **d.** un vieil ami / un nouveau travail / sa nouvelle maison

1.7 Les adjectifs qualificatifs (2), p. 21
1. a. gentilles **b.** intéressants **c.** vieux **d.** russes **e.** géniaux **f.** gros **g.** heureux
2. a. Ils sont grands et blonds, jeunes et sympathiques **b.** Ils sont anglais, petits et roux **c.** Ce sont des copains français, ils sont amoureux et heureux **d.** Ils sont danois, blonds et minces
3. a. une vieille voiture américaine **b.** une belle veste bleu marine (Attention ! adjectif composé ➜ pas d'accord) **c.** un film intéressant **d.** une bonne copine grecque **e.** mon premier dictionnaire français
4. a. Elle a acheté des belles chaussures noires **b.** Il habite dans une grande maison blanche **c.** Où as-tu acheté ta nouvelle tablette japonaise ? **d.** Son copain a de beaux yeux verts

1.8 Les comparatifs, p. 23
🔊 **1. a.** La Freedom Tower est moins haute que la tour ICC de Hong-
5 Kong **b.** La Ricotta est moins calorique que le camembert **c.** Mon nouvel smartphone est plus puissant que le vieux **d.** Les leggins noirs sont plus chers que les gris.
2. a. La robe verte est plus jolie que la bleue **b.** Le prof de maths est aussi sympa que celui d'histoire **c.** Mon père est moins sportif que ma mère **d.** Greg est plus paresseux que moi **e.** Tes notes sont meilleures (attention : comparatif irrégulier) que celles de ton frère
3. a. À Nice, il y a plus d'habitants qu'à Nantes mais il y a moins de cafés./ À Nantes, il y a plus de cafés qu'à Nice mais il y a moins d'habitants. **b.** Le Brésil a gagné plus de coupes du monde de foot que l'Allemagne / L'Italie et l'Allemagne ont gagné autant de coupes du monde de foot. / L'Allemagne a gagné moins de coupes du monde de foot que le Brésil. **c.** À Paris, il y a beaucoup plus de cinémas qu'à Marseille.
4. il mesure 15 m² de plus que l'autre. ~ D'accord mais il coûte mille euros de plus ! ~ C'est vrai mais l'appartement rue La Fontaine a une pièce de moins.

1.9 Les superlatifs, p. 25
🔊 **1.** Monica est la plus sportive et la moins grande ~ Margaux est la plus
6 musicienne ~ Camille est la plus grande et la plus jeune ~ Hina est la plus âgée et elle habite le plus loin de la France.
2. a. la France **b.** l'Allemagne **c.** Malte **d.** Malte
3. a. Vanessa a le moins d'argent de poche par semaine. **b.** Marianne a le plus de frères mais pas de sœur. **c.** Victoire a le moins de copains sur Facebook. **d.** Victoire a le plus d'argent de poche par semaine.

1.10 Bilan, p. 26
1. a. vous / nous / vous / on **b.** Elles / les **c.** on / on **d.** tu / tu / la
2. a. une directrice = féminin **b.** un gouvernement = masculin **c.** un/une élève = même forme **d.** un oiseau = masculin **e.** un/une journaliste = même forme
3. a. une bonne note ~ une mauvaise note **b.** ma correspondante allemande **c.** un vieil ordinateur **d.** un nouvel élève
4. a. plus chaud qu'en Thaïlande **b.** moins froid à Assouan qu'à Irkoutsk **c.** autant de jours de pluie **d.** aussi chaud à Assouan qu'à

Bangkok mais à Assouan, il pleut moins **e.** il fait le plus froid

2.1 Les articles définis, p. 29

◁)) **1.** le = **b, c, f, h, j** et **k** ; les = **a, d, e, g, i** et **l.**

7 **2. a.** la voiture **b.** l'appartement **c.** la maison **d.** les manteaux **e.** les voyages **f.** la solution **g.** l'ordinateur **h.** l'arbre **i.** l'hiver **j.** le collège **k.** le bureau **l.** les professeurs

3. a. l'ami **b.** l'hôpital **c.** le printemps **d.** la moto **e.** l'habitude **f.** l'ours **g.** la photo **h.** le serpent **i.** la bateau **j.** le pays **k.** l'animal **l.** l'enfant

4. la tour Eiffel ~ Big Ben ~ le Colisée (Rome) ~ le Taj Mahal ~ les pyramides ~ la statue de la Liberté

5. a. la hache **b.** l'hôtel **c.** l'homme **d.** le héros **e.** le hasard **f.** l'honneur **g.** le hall **h.** la honte **i.** le hibou

2.2 Les articles contractés, p. 31

1. a. Vous allez à la plage ou <u>au</u> cinéma ? ~ Non, moi, je vais à la patinoire et, elle, elle préfère aller <u>au</u> stade. **b.** Je vais <u>aux</u> toilettes. **c.** Il va <u>au</u> collège ou il est encore à l'école primaire ? **d.** Je vous présente Susie, une copine <u>du</u> quartier. **e.** Il faut donner son ticket à l'entrée <u>du</u> théâtre. **f.** - Nina, c'est la fille <u>des</u> Beltramelli ? - Non, c'est l'amie <u>du</u> fils <u>des</u> Beltramelli.

2. a. Romain, tu peux répondre à la question ? **b.** Lima, c'est la capitale du Pérou ou du Brésil ? **c.** Je vais chercher ma fille à l'aéroport. **d.** C'est le petit chien du boulanger. **e.** Tu n'as pas vu le sac de l'amie de Fred ? **f.** Le corrigé des exercices est à la fin du livre.

3. a. Paris est la capitale de la France **b.** Moscou est la capitale de la Russie **c.** Washington est la capitale des États-Unis **d.** Berlin est la capitale de l'Allemagne **e.** Tokyo est la capitale du Japon **f.** Buenos Aires est la capitale de l'Argentine

4. C'est le drapeau de la Belgique / le drapeau de l'Autriche / le drapeau de la France / le drapeau du Portugal / le drapeau de l'Irlande / le drapeau de la Suède

2.3 Les articles indéfinis, p. 33

◁)) **1.** un = **a, d, e, j, k, l** ; une = **b, c, f, g, h, i**

8 **2. a.** des clés, un téléphone portable, un portefeuille, un paquet de chewing-gum, une photo de sa meilleure copine, un stylo et des bonbons. **b.** Il faut : des baskets, une tenue de jogging, un bandeau pour les cheveux / des chaussures de tennis, un short blanc ou une jupe blanche, une raquette et des balles ! **c.** une trousse avec des stylos, une boîte de feutres, des crayons et une gomme / des cahiers et des classeurs / un compas, une équerre, un rapporteur et une règle / un bloc de papier blanc, une boîte de peinture, des ciseaux et un tablier.

3. Chloé est <u>une</u> fille de ma classe. Je pense que c'est <u>la</u> plus jolie fille <u>du</u> (article contracté) collège. Elle est très sympa, elle adore <u>le</u> sport mais aussi <u>la</u> danse et <u>la</u> musique. Elle joue dans <u>un</u> orchestre mais ce n'est pas <u>l'</u>orchestre <u>du</u> (article contracté) collège. Elle habite dans <u>une</u> maison moderne. Autour de <u>la</u> maison, il y a <u>un</u> grand jardin avec <u>des</u> fleurs et <u>des</u> arbres et, juste à côté, il y a <u>un</u> grand parc, <u>le</u> parc de <u>la</u> Providence.

4. a. les chats. / un chat noir et une chatte grise/ Le chat noir s'appelle Ulysse. **b.** le samedi / Le samedi matin, je dors. L'après-midi, je sors avec des copains ou des copines / je vais faire des courses / dans les magasins du centre ville.

2.4 Les articles partitifs, p. 35

◁)) **1.** articles contractés : du boulanger = de + le / du voisin = de + le / du 9 cours de maths = de + le ~ articles partitifs : du vin / du courage / du poisson.

2. a. du poisson, du riz ~ du fromage blanc, de la tarte aux pommes **b.** de la viande, du lait, de la salade, des pâtes, du fromage ~ de l'eau minérale, de la limonade, de la bière

3. a. Pour les Anglais : des haricots blancs, des saucisses, du bacon, des œufs, des toasts. Et du thé ou du café. **b.** En Catalogne : du pain, de l'ail et des tomates bien mûres avec de l'huile d'olive. On boit du café noir. On mange aussi du fromage, du jambon ou des saucisses. **c.** En Turquie : du fromage, du beurre, des olives, des œufs, des tomates, des concombres, de la confiture et de la viande froide. **d.** En France : du café, du thé ou du chocolat au lait et on mange des croissants ou bien des tartines avec du beurre et de la confiture.

4. - Nous avons du vin rouge, du vin blanc, du champagne. Et aussi de la bière, des sodas. / - Je voudrais de l'eau minérale, s'il vous plaît. Et un sandwich au jambon. - Pour moi, un verre de vin blanc sec avec des glaçons. Et pour manger, une pizza. - Je veux des frites avec du ketchup et un/du Coca-Cola.

5. Il ne mange pas de pâtes, pas de riz, pas de polenta, pas de frites. Et il ne boit pas de bière et pas de Coca.

2.5 Les adjectifs possessifs, p. 37

◁)) **1. a.** ses **b.** notre **c.** ma **d.** son **e.** votre **f.** vos **g.** nos **h.** tes 10 **2. a.** ton téléphone, tes livres **b.** son livre, ses cahiers **c.** son dictionnaire, ses stylos **d.** notre voiture, nos rollers **e.** votre maison, vos clés **f.** leur numéro de téléphone, leurs idées **g.** leur choix, leurs idées

3. a. sa mère **b.** sa sœur **c.** son frère **d.** ses parents **e.** ses copains **f.** son cousin **g.** son amie **h.** ses amies

4. a. C'est ma sœur **b.** C'est ta copine ? **c.** C'est notre livre **d.** C'est leur jeu préféré **e.** C'est son meilleur résultat **f.** C'est son idée

2.6 Les adjectifs démonstratifs, p. 39

1. a. Ce matin **b.** ce nouvel élève ? **c.** dans cette classe **d.** ces croissants **e.** Ce gâteau ou cette tarte ? **f.** cette vitrine / ce sac blanc **g.** cet hiver / cette année **h.** cet hôtel / ce camping

2. a. cet été **b.** cette histoire **c.** ce gâteau **d.** cette fille **e.** cet appartement **f.** cette chanson **g.** ce matin **h.** cet après~midi **i.** cette année **j.** ce manteau noir ?

3. a. Cet ordinateur est trop vieux. **b.** Ce garçon est très sympa **c.** Cet exercice est difficile. **d.** Cette maison est neuve. **e.** Ce livre est intéressant. **f.** Cet animal est sauvage. **g.** Ce pays est très froid. **h.** Ce journal est anglais ou américain ?

◁)) **4. a.** le désordre **b.** les glaces **c.** le français **d.** les cerises 11

2.7 Bilan, p. 40

1. a. les films d'horreur. **b.** une très bonne actrice. **c.** le dernier livre de Rowling **d.** un sandwich au poulet avec un Coca-Cola. **e.** une émission intéressante **f.** l'amie préférée de ma mère **g.** une université japonaise **h.** l'ordinateur de mon père

2. a. de l'amour **b.** de l'argent **c.** du temps libre **d.** des amis **e.** de la chance **f.** du travail

◁)) **3.** cette photo ~ mon oncle, le frère de mon père ~ sa femme, Diana. / 12 dans ce chalet, là, à gauche. Tu vois ces montagnes ? / Cette année je vais deux semaines chez eux. / Mes cousins sont super ! Ils ont mon âge. // ~ Et ta mère, elle a des frères ? ~ Elle a deux sœurs. Ma tante Hélène habite à Paris, elle va se marier cet hiver. L'autre, ma tante Flora fait ses études à Marseille. Elle habite chez ses parents. Tiens, regarde cette photo, ils vivent dans cet appartement / ~ Et tes autres grands-parents ? ~ Les parents de mon père ? Mon grand-père est mort. Ma grand-mère habite en Normandie dans une ferme, avec ses chats, ses chiens, ses poules, son âne et sa chèvre .

3.1 Les pronoms COD, p. 43

1. a. - Tu regardes la télévision tous les jours ? - Non, je la regarde seulement le week-end. - Tu regardes des séries américaines ? - Oui. Mes parents ne les aiment pas, mais moi je les adore. **b.** - Vous connaissez la rue de Belleville ? - Oui, je la connais très bien. - Le bus 34, je le prends où ? Vous le voyez ? **c.** - Tu invites tous tes copains ? - Oui, je les invite tous. Sauf Manu. Lui, je ne l'invite pas. ~ Tu ne l'aimes pas ? - Moi, je l'aime bien mais ma copine le déteste.

2. a. Nous l'écoutons souvent **b.** Elle m'appelle tous les jours **c.** Je la déteste **d.** Il les adore **e.** Je les achète sur Internet **f.** Il l'utilise toute la journée

◁)) **3. a.** la télévision **b.** nos copains **c.** ce livre **d.** mon travail **e.** tes 13 baskets **f.** ma voiture

3.2 Les pronoms COI, p. 45

🔊 **1. a.** D'accord, on lui téléphone ce soir. **b.** Je lui offre des fleurs.
14   **c.** OK ! On va chez lui ensemble. **d.** Non, je ne leur parle plus. On est
    fâchées ! **e.** Je vais lui expliquer.

2. a. - D'accord, on leur offre des livres. Et on leur écrit une petite
    carte. - Et à maman ? Qu'est-ce qu'on lui offre ? **b.** - Oui, elle lui
    téléphone très souvent ! / - Non, elle ne leur téléphone pas. Mais elle
    leur écrit de temps en temps. Elle leur demande si je travaille bien.
    - Et les professeurs lui répondent ?

3. b, c, e ➜ COI
    a, d➜ adjectif possessif

4. je les aime bien / je leur envoie une carte / je leur rapporte un
    cadeau ~ je ne les vois pas souvent / je leur téléphone / je leur écris /
    je leur envoie des SMS / je les vois à Noël

3.3 Les pronoms *en* et *y*, p. 47

1. a. j'en ai un **b.** elle en a **c.** il n'en a pas **d.** je n'en veux pas **e.** elle
    en mange **f.** elle en mange aussi

2. a. Il y en a 36 000 **b.** Elle en a 1 665 **c.** Il y en a 7 millions **d.** Il en a
    102 **e.** Il y en a 73.

3. a. j'en fais **b.** je l'ai **c.** j'en ai beaucoup **d.** je le prends **e.** je les
    prends aussi **f.** j'en ai un **g.** je la prends le matin **h.** j'en bois un bol

🔊 **4. a.** Non, on n'y va pas cette année. **b.** Oui, je l'ai pris. **c.** Oui, j'en ai
15   mangé deux. **d.** On le prend place de la Nation. **e.** J'en voudrais
    trois, s'il vous plaît. **f.** Oui, je les vois souvent. **g.** Non, je n'y vais
    pas. **h.** Non, je le ferai demain matin.

3.4 Les pronoms réfléchis et les pronoms relatifs, p. 49

1. - vous vous levez à quelle heure ? / - Moi, je me lève à neuf heures
    et mon frère se lève à dix heures. Eux, ils se lèvent très tôt / je me
    douche, je m'habille... / On se promène.

2. Il se réveille à 6h30 ~ Il se douche à 7h10 ~ Il s'habille à 7h20 ~ Il
    part au collège à 7h30 ~ Il joue au foot avec ses copains de 16h à
    17h ~ Il fait ses devoirs de 18h/20h ~ Il dîne à 20h et il se couche à 22h.

3. a. qui / où / La Suisse **b.** qui / où / Los Angeles **c.** où / qui / Le 14
    juillet **d.** qu' / qui / qui /Coca-Cola

3.5 La place des pronoms compléments, p. 51

1. a. Oui, ils en prennent tous les matins. **b.** Je vais
    l'aider. **c.** Réponds-moi s'il te plaît. **d.** je les connais très
    bien. **e.** Tu vas la chercher, s'il te plaît ?

🔊 **2. a.** Oui, je lui ai écrit. **b.** Oui, je le regarde souvent. **c.** D'accord, je
16   me dépêche ! **d.** Oui, j'en veux bien. **e.** Non, je n'y vais pas.

3. a. Ne m'écris pas tous les jours **b.** Ne l'achète pas ! Ne le lis pas !
    c. Ne lui téléphone pas, ne l'invite pas !

4. a. Nous allons y aller demain **b.** Tu peux en acheter au supermar-
    ché **c.** Je l'ai lu deux fois ! **d.** Ne lui en envoie pas ! **e.** Je vais les
    faire après le dîner **f.** Non, elle ne m'a pas téléphoné aujourd'hui

3.6 Bilan, p. 52

1. a. je la regarde **b.** je lui téléphone **c.** ils ne les lisent pas
    beaucoup **d.** ils l'écoutent tous les jours **e.** je leur parle

🔊 **2. a.** 2 ~ **b.** 3 ~ **c.** 4 ~ **d.** 1 ~ **e.** 6 ~ **f.** 5
17 **3. a.** je ne le connais pas **b.** j'en ai **c.** je les ai **d.** je leur écris

4. a. FAUX (exemple : les amis, les idées...) **b.** VRAI (exemple : l'amie,
    l'école, l'université...) **c.** FAUX (exemple : je parle à Pablo = je lui
    parle / Je parle à Anna ➜ je lui parle) **d.** VRAI (le premier "nous"
    est sujet, le deuxième complément d'objet) **e.** = FAUX (exemple :
    Écoute-moi !, Regarde-le !, Réponds-lui !, Écris-leur !...)
    f. VRAI (exemple : Tu veux du chocolat ? ➜ Oui, j'en veux).

4.1 Devant un nom, p. 55

🔊 **1. a.** il faut manger peu de sel. **b.** J'ai trop de travail. **c.** Tu ne fais
18   pas assez de sport. **d.** Il y a eu beaucoup de monde ! **e.** ...un peu de
    tout et faire du sport.

2. a. toute **b.** tous **c.** tout **d.** tous / toutes **e.** toute **f.** tous / tout

3. un kilo d'oranges ~ une boîte d'ananas en tranches ~ une bouteille
    d'huile ~ un pot de moutarde ~ un litre de lait ~ une tranche de
    jambon ~ un paquet de café

4.2 Devant un adjectif, un adverbe ou un verbe, p. 57

1. a. 4 ~ **b.** 7 ~ **c.** 2 ~ **d.** 1 ~ **e.** 5 ~ **f.** 3 ~ **g.** 6

2. a. trop compliqué (impossible) **b.** très difficile (mais possible)
    c. très jolie (on ne peut pas être "trop jolie !") **d.** trop dangereux (pas
    question d'acheter une moto) **e.** de trop près **f.** très grand (c'est un
    compliment)

3. a. Ils ont beaucoup travaillé **b.** Tu n'as pas assez mangé **c.** Vous
    vous connaissez bien ? **d.** Il travaille très peu, mais il réussit très
    bien **e.** Cette voiture coûte cher **f.** Nous nous sommes beaucoup
    amusés

4. a. toute la nuit / il a trop mangé / c'est tous les dimanches la même
    chose **b.** elle travaille beaucoup / elle se couche très tard / elle ne
    mange pas assez

4.3 Les nombres, p. 59

1. a. 19 = dix-neuf **b.** 127 = cent vingt-sept **c.** 700 = sept cents
    d. 942 = neuf cent quarante-deux **e.** 3 200 = trois mille deux
    cents **f.** 2 817 = deux mille huit cent dix-sept **g.** 2 015 = deux mille
    quinze **h.** 1 900 577 = un million neuf cent mille cinq cent soixante-
    dix-sept

2. a. deuxième **b.** quarante-cinquième **c.** dix-huitième siècle
    d. première **e.** mille sept cent quatre-vingt treize **f.** mille neuf
    cent soixante-deux

3. a. 287, 75 euros = deux cent quatre-vingt-sept euros et soixante-
    quinze centimes **b.** 198,90 euros = cent quatre-vingt-dix-huit euros
    et quatre-vingt-dix centimes **c.** 2 355, 05 euros = deux mille trois
    cent cinquante-cinq euros et cinq centimes

🔊 **4. a.** 04 77 12 03 77 **b.** 06 50 61 71 97 **c.** 01 40 44 87 11 **d.** 02 45 77
19   80 21

4.4 Bilan, p. 60

1. a. 3 ~ **b.** 1 ~ **c.** 6 ~ **d.** 4 ~ **e.** 2 ~ **f.** 5

🔊 **2. a.** Elle ne mange pas beaucoup. **b.** C'est bizarre, ce n'est pas
20   normal. **c.** Je déteste le poisson. **d.** Il a trop peu travaillé.

3. a. Ils se sont beaucoup aimés **b.** Vous vous êtes assez reposés?
    c. Ils ont peu dormi mais ils ont beaucoup fait la fête. Ils sont très
    fatigués

4. a. Ils se sont reposés les deux premiers jours. **b.** Nous avons loué une
    maison en Sicile pour les deux dernières semaines de juillet. **c.** Les
    deux premiers candidats gagnent une semaine aux sports d'hiver.

🔊 **5. a.** 3 600 **b.** 1989 **c.** 06 55 74 87 27
21

5.1 Les verbes *être* et *avoir*, p. 63

1. a. - C'est ton amie ? / C'est une élève de ma classe. Elle est très
    sympa. / - Elle a quel âge ? /- Treize ans. Sa mère est professeur de
    français au collège. **b.** - Mon frère a une nouvelle copine. / - Elle est
    comment ? / - Elle est grande, elle a les cheveux blonds... / - Elle est
    jolie ? / - Oui, elle a des yeux magnifiques. Ils sont violets. **c.** - Tu
    as faim ? Tu as soif ? / Je suis fatigué et j'ai sommeil. **d.** - Ton VTT
    est super ! Il est neuf ? / - Non, il a deux ans et demi. **e.** - Vous avez
    peur de quoi ? / - Moi, j'ai peur des loups. / - Pas moi. Mais j'ai peur des
    serpents./ Mon petit frère, lui, il a peur de tout ! **f.** - Pardon, monsieur,
    vous êtes du quartier ? Où est la poste, s'il vous plaît ? / - Désolé, je ne
    suis pas d'ici. Je ne sais pas où elle est. **g.** - Bonjour, j'ai un rendez-
    vous à 15h avec le docteur Guerra. / - Oui. Mais vous êtes en retard ! Il
    est 15h30 ! / - Oui, je suis désolé. Mais le docteur est là, n'est-ce pas ?

🔊 **2. a.** 4 ~ **b.** 6 ~ **c.** 1 ~ **d.** 3 ~ **e.** 2 ~ **f.** 5
22 **3.** Par exemple : il est canadien, il est chanteur et acteur ~ Il est né en 1994
    ~ Il a des millions de fans dans le monde entier ~ Il est très riche...

5.2 Les verbes en *-er*, p. 65

1. a. 4 ~ **b.** 6 ~ **c.** 1 ~ **d.** 5 ~ **e.** 2 ~ **f.** 3

2. a. - Vous voyagez en train ou en avion ? - Nous voyageons toujours
    en train. **b.** - Vous vous appelez comment ? - Je m'appelle
    Théo Millon. **c.** - Qu'est-ce qu'on mange ? - Nous mangeons des
    spaghettis à la carbonara. **d.** - Tu me donnes tes vieux livres ?
    - Non, je les garde. **e.** - Vous payez en carte bleue ? - Non, je paie en
    liquide. **f.** - Tu essaies ce manteau ? - Oui, je l'essaie tout de suite

3. a. Qu'est-ce qu'on achète au marché ? **b.** Tu préfères les sciences ou la littérature ? **c.** J'espère qu'il va faire beau demain. **d.** Vous répétez pour le spectacle de fin d'année ? **e.** Complétez avec le mot qui manque. **f.** Complète avec le mot qui manque.

4. Nous aimons bien les voyages. Quand nous voyageons dans un pays étranger, nous essayons de parler (un peu) la langue du pays et nous mangeons la même chose que les gens. Nous préférons voyager en bus. Nous achetons des cartes postales pour les amis et nous leur envoyons des SMS.

5.3 Les verbes pronominaux, p. 67

1. La semaine, le matin, nous nous réveillons à 7h., nous nous levons, nous déjeunons et nous nous douchons. Après, nous nous habillons. Nous nous dépêchons... ~ Le vendredi soir, nous nous couchons tôt parce que nous nous entraînons au stade. Le samedi soir, nous nous amusons avec des copains et nous nous couchons plus tard. Alors, le dimanche, nous nous levons à midi !

◁)) **2. a.** 5 ~ **b.** 4 ~ **c.** 1 ~ **d.** 6 ~ **e.** 2 ~ **f.** 3
23
Verbe pronominal : **a** (se retrouver) ~ **c** (s'appeler) ~ **e** (se promener) ~ **f** (s'amuser) ~ **i** (se rencontrer)
Verbe non pronominal : **b** (rencontrer) ~ **d** (connaître) ~ **g** (donner) ~ **h** (dire) ~ **j** (aimer)

5.4 Les verbes *partir, finir, mettre* et *lire*, p. 69

◁)) **1. a.** Il sort **b.** Ils mettent **c.** Elles sortent **d.** Elle finit **e.** Elles
24 réussissent **f.** Il part **g.** Ils connaissent **h.** Elles écrivent

2. **a.** elles sortent **b.** nous partons **c.** vous dormez **d.** nous sortons **e.** ils choisissent **f.** vous sortez **g.** vous promettez **h.** elles finissent

3. **a.** je pars / tu pars / tu connais **b.** elle finit **c.** je sors / qu'est~ce que tu mets ? **d.** Sors ! / tu n'obéis jamais

4. **a.** 2 ~ **b.** 7 ~ **c.** 5 ~ **d.** 6 ~ **e.** 1 ~ **f.** 3 ~ **g.** 4

5.5 Les verbes *venir, prendre, dire* et *faire*, p. 71

1. **a.** Nous venons **b.** Qu'est-ce que vous prenez ? **c.** Ils prennent **d.** Nous prenons **e.** Elles disent **f.** Qu'est-ce que vous dites ? **g.** Elles font **h.** Nous faisons **i.** Vous faites **j.** Ces motos font

◁)) **2. a.** Qu'est-ce que tu fais dimanche ? **b.** Je ne vais pas à Paris.
25 **c.** On prend le bus ? **d.** N'oublie pas de mettre ton passeport... **e.** je mets dix minutes. **f.** il fait 1,80 m. **g.** prenez la deuxième rue à droite.

3. **a.** Qu'est-ce que tu fais ce matin ? / Tu viens avec moi ? **b.** Il fait froid ou chaud aujourd'hui ? / - Il fait très froid. / - Alors, je ne prends pas mon vélo, je vais prendre le métro. **c.** Pour faire le ménage. / D'accord. Mais toi, tu fais la vaisselle. **d.** - Tu prends le train ou l'avion ? - Je prends l'avion. Ma mère vient me chercher à l'aéroport. **e.** - Stella, tu viens avec moi ? Je vais faire des courses. / - D'accord. On prend la voiture ou on y va en bus ? / - En bus. Prends un parapluie, il pleut. **f.** - Vous venez à quelle heure demain ? Vous prenez le bus ? / - Non, je vais venir à pied. Il va faire très beau !

5.6 Les verbes modaux : *pouvoir, savoir* et *vouloir*, p. 73

◁)) **1. a.** Ils peuvent venir ? **b.** Je veux sortir ! **c.** Elle veut voyager.
26 **d.** Nous savons tout ! **e.** Vouloir, c'est pouvoir ! **f.** Tu veux, oui ou non ?

2. **a.** Nous ne voulons pas... **b.** Vous pouvez fermer la porte ? **c.** je peux venir / si tu veux **d.** tu peux m'expliquer... / je veux bien **e.** tu sais nager / je peux

3. **a.** possibilité **b.** capacité (être capable de faire quelque chose) **c.** autorisation (c'est une demande) **d.** possibilité **e.** autorisation (il/elle lui permet de sortir)

4. **a.** on peut... / tu sais bien que... / si tu veux..., on peut... **b.** tu veux... / je ne peux pas supporter ça **c.** tu sais faire ... / je peux regarder... si tu veux.

5.7 L'obligation : *devoir*, et *il faut*, p. 75

1. On ne doit pas téléphoner ici ~ Il ne faut pas entrer ~ On ne doit pas fumer ici (dans un restaurant, par exemple) ~ Il ne faut pas manger ou boire ici (dans un magasin, par exemple) ~ Il ne faut pas prendre des photos ~ Il faut se taire / Il ne faut pas parler ici (dans une église, un hôpital...) ~ Il ne faut pas allumer un feu ~ On doit laisser les animaux dehors ~ Il ne faut pas nourrir les oiseaux (donner à

manger aux oiseaux) ~ On doit toujours attacher sa ceinture de sécurité ~ Il faut faire attention : il y a une école tout près. ~ Il ne faut pas aller vite : risque de glisser. ~ Il ne faut pas me déranger (dans un hôtel par exemple) Remarque : on doit = il faut / on ne doit pas = il ne faut pas (le sens est exactement le même)

2. **a.** On vous doit combien ? et Vous me devez 29,70 = une dette / Vous devez faire une erreur = probabilité **b.** Nous devons être à la gare et Je dois aller chercher ma sœur = obligation **c.** elle doit être dans les embouteillages = probabilité / je lui dois de l'argent = dette / je dois lui rendre = obligation

5.8 Les formes impersonnelles, p. 77

1. Par exemple **a.** Il neige à Montréal **b.** Il pleut **c.** Il fait très beau. C'est le printemps ! **d.** Il fait très froid ! **e.** Il fait très chaud (trop chaud) **f.** Il fait nuit.

2. Il est 7h ~ Il fait jour ~ Il y a déjà un joli soleil ~ Il fait très beau / Il fait chaud ~ Il faut profiter de la plage ~ Il y a beaucoup de touristes ~ Il me dit qu'il fait froid

3. **a.** Il y a deux ans **c.** Il fait très beau / il va pleuvoir ! **d.** Il est 5h et il fait déjà nuit. **e.** Il a fait très chaud **f.** Qu'est-ce qu'il faut acheter ? Il y a encore des fruits ? **g.** Il est tard ! **h.** Au Canada, il neige. Il fait moins vingt ~ Remarque : Si tu peux remplacer "il" par "elle" ou par "on", alors le "il" est personnel.

5.9 Bilan, p. 78

1. **a.** vous pouvez **b.** il fait / on va **c.** vous ne savez pas **d.** qu'est-ce que vous faites ? / nous devons... / on ne peut pas...

2. **a.** vous vous promenez **b.** vous vous dépêchez **c.** nous nous amusons beaucoup **d.** Levez-vous vite ! **e.** Ne vous fatiguez pas

3. **a.** - Moi, j'achète du poisson pour moi. Mon mari préfère la viande. **b.** Je répète la consigne : il faut compléter la phrase... **c.** Moi, je me lève à 8h, ma sœur se lève plus tard.

4. **a.** Il fait très froid ce matin. Il faut mettre ton manteau. **b.** - Tu prends le bus ? - Non, je vais en voiture avec mon père **c.** - Je dois absolument faire ce travail pour demain. - Je peux t'aider si tu veux.

5. Par exemple : Il faut de la crème, du sucre, de la vanille et de la gélatine. Il faut mettre la crème, le sucre et la vanille dans une casserole sur le feu. Il faut laisser cuire une minute. Après, il faut ajouter la gélatine et laisser refroidir 3 ou 4 heures.

6.1 Le présent de l'indicatif, p. 81

1. **a.** - Allez, Véro, il est 8h, on dîne. Tu ranges tes affaires et tu viens à table. / - J'ai beaucoup de travail. Je peux dîner plus tard ?/ - Ah, non ! On dîne ensemble ! Le dîner en famille, c'est sacré ! / - Oh la la, maman, tu exagères ! **b.** - Ce soir, on passe un bon film à la télé. On le regarde ? / - D'accord, si tu veux **c.** - Vous partez à quelle heure ? - Je ne sais pas encore. Je crois que nous partons vers midi.

◁)) **2. a.** 8 ~ **b.** 4 ~ **c.** 5 ~ **d.** 1 ~ **e.** 3 ~ **f.** 7 ~ **g.** 2 ~ **h.** 6
27
3. **a.** Regarde ! Lisa embrasse Lucas = action présente (ils sont en train de s'embrasser) **b.** Je suis là dans cinq minutes. = futur immédiat (tu dois m'attendre un peu) **c.** Au Québec, on parle français et anglais. = généralité **d.** Le soleil brille, il fait un temps magnifique. = description **e.** Mal à la tête ? Tu prends deux aspirines. = conseil

6.2 L'impératif affirmatif et négatif, p. 83

1. **a.** Regarde ! Regardons ! Regardez ! **b.** Pars ! Partons ! Partez ! **c.** Écoute-la ! Écoutons-la ! Écoutez-la ! **d.** Décide-toi ! Décidons-nous ! Décidez-vous ! **e.** Dépêche-toi ! Dépêchons-nous ! Dépêchez-vous ! **f.** Lève-toi ! Levons-nous ! Levez-vous ! **g.** Offre-lui un cadeau ! Offrons-lui un cadeau ! Offrez-lui un cadeau !

2. **a.** 6 ~ **b.** 4 ~ **c.** 1 ~ **d.** 2 ~ **e.** 3 ~ **f.** 5

3. **a.** Ne venez pas **b.** Ne prenons pas le train de nuit **c.** Ne prends pas... **d.** Ne va pas au cinéma

◁)) **4.** un ordre = **c** et **d** ~ un conseil, une suggestion = **b**, **e** et **f** ~ une
28 interdiction = **a**

6.3 Le futur proche et le futur simple, p. 85

1. **a.** le train va entrer en gare **b.** les nuages vont arriver **c.** nous allons commencer **d.** il va naître **e.** ils vont se faire mal

🔊 **2. a.** tu sauras (savoir) **b.** nous irons (aller) **c.** il aura (avoir) **d.** je te
29 dirai (dire) **e.** je ne pourrai pas (pouvoir) **f.** il fera (faire)

3. a. présent / futur proche **b.** futur proche / futur simple **c.** futur
proche / présent / futur simple

4. a. Attention ! Le train 2023 va entrer en gare ... (c'est une action
imminente, qui va se produire très bientôt) **b.** Quand je serai vieux, je
vivrai à la campagne (c'est un projet, un futur lointain). **c.** Qu'est-ce
que tu feras après tes études ? (c'est dans très longtemps : futur
simple) **d.** La météo annonce que cette nuit, il va neiger. (c'est très
bientôt) **e.** On pense que dans trente ans, le climat sera plus chaud
que maintenant. (c'est un futur lointain : dans 30 ans)

6.4 Le passé composé (1), p. 87

1. a. - Tu as déjeuné ? - Oui, j'ai mangé un sandwich. **b.** - Vous avez
payé ? - Non ! Nous avons oublié ! **c.** - Tu as trouvé tes gants ? - Non,
j'ai cherché partout, mais en vain ! **d.** - Vous avez terminé votre
travail ? - Oui, on a fini hier soir.

2. a. Ils ont regardé un film super. **b.** Elles sont arrivées hier soir.
c. Vous avez compris l'exercice de maths ? **d.** Nous avons habité
longtemps dans le nord de l'Italie. **e.** À quelle heure ils sont
sortis de la maison ? **f.** En 2012, mes parents ont fait un voyage en
Asie. **g.** Anna, tu es rentrée à quelle heure hier soir ? **h.** Tu as vu
Tina aujourd'hui ?

3. a. Tu n'es pas partie faire du ski ? **b.** Vous n'avez pas aimé cette
histoire ? **c.** Nous n'avons pas changé de voiture. **d.** Il n'a pas neigé
la nuit dernière. **e.** Ils ne se sont pas rencontrés au Japon. **f.** Vous
ne vous êtes pas mariés ?

4. a. Elles se sont dépêchées de partir **b.** Nous nous sommes
rencontrés à Barcelone **c.** Ils n'ont pas eu froid.

6.5 Le passé composé (2), p. 89

🔊 **1. a.** il a souffert (souffrir) **b.** tu as compris (comprendre) **c.** Tu as eu
30 peur ? (avoir) **d.** Vous avez reçu (recevoir) **e.** Tu n'as pas vu (voir)
f. Tu lui as écrit ? (écrire) **g.** Ils ont vécu (vivre) **h.** nous avons pris
(prendre) **i.** Elle est venue (venir) **j.** Elle est née (naître)

2. a. Hier, elle est allée à la piscine **b.** Hier, j'ai fait deux heures de
gym **c.** Hier, j'ai pris le bus **d.** Hier, elle est venue au collège en
rollers **e.** Hier, j'ai dû partir à midi.

3. a. Hier, Gina a offert un joli cadeau à Karine. Elle lui a donné une
écharpe. Quand Karine a ouvert le paquet, elle était très contente !
Elle lui a dit merci au moins dix fois ! **b.** Samedi dernier, nous avons
fait un petit voyage. Nous avons pris le train et ensuite nous avons
loué des bicyclettes. Nous avons roulé ... À midi, nous avons pique-
niqué puis nous sommes repartis. Nous sommes rentrés morts
de fatigue ! **c.** Hier, je suis allée à la fête chez Claudia. / - Ah oui ?
Qu'est-ce que tu as mis comme robe ? / - J'ai mis un short et un tee-
shirt noirs. Et toi ? Qu'est-ce que tu as fait hier ? / - Je suis restée à
la maison. J'ai lu un peu et je me suis couchée tôt.

6.6 L'imparfait, p. 91

🔊 **1.** au présent = **b**, **e** et **f** ~ au futur = **a** et **g** ~ à l'imparfait = **c**, **d** et **h**.
31 **2. a.** mange ➔ nous mangeons ➔ je mangeais / nous mangions
b. savoir ➔ nous savons ➔ je savais / nous savions **c.** être ➔
attention, verbe irrégulier = nous sommes, mais j'étais / nous
étions **d.** faire ➔ nous faisons ➔ je faisais / nous faisions.

3. a. Maintenant, nous commandons tout sur Internet mais avant,
nous faisions nos courses au supermarché. **b.** Aujourd'hui, les
Français ont peu d'enfants, mais avant il y avait beaucoup de
familles nombreuses. **c.** Il y a dix ans, quand nous allions en
vacances, nous prenions le train. Maintenant, mes parents
préfèrent prendre la voiture ou l'avion. **d.** - Tu viens au lycée en bus
maintenant ? - Oui, avant, je prenais mon vélo, mais depuis un mois
il fait trop froid.

4. a. Quand Lisa et Clara étaient petites, elles allaient chaque
année (= habitude) chez leurs grands-parents. Elles aimaient ça
(= commentaire). **b.** - Tu avais quel âge en 2000 ? / - Vingt ans.
Et vingt-deux ans quand tu es né (= événement, fait). J'étais très
jeune (= commentaire) ! **c.** En octobre 2014, nous sommes allés
passer dix jours au Japon (= fait, action). Nous avons adoré ce pays

(pendant ce voyage : limité dans le temps). **d.** Hier, quand j'ai ouvert
la fenêtre (action), il pleuvait (pas de limites précises). Alors, j'ai mis
des bottes et j'ai pris mon parapluie. Je suis partie au lycée sous la
pluie. (des actions)

6.7 Se situer dans le temps, p. 93

1. - Salut, Tina. Huit heures juste ! Bravo ! Aujourd'hui, tu es à l'heure
(= ponctuelle/exacte) ! / - Hier, je suis arrivée vraiment en retard.
Comme tous les jeudis ! /- Avec toi, le retard, ça arrive souvent. Trois
fois cette semaine : lundi, mardi et jeudi ! Qu'est-ce que tu vas faire
demain ? / - Comme tous les samedis : le matin, je dors et l'après-
midi, je vais à la plage avec mes amies.

2. Autrefois ~ le mois dernier ~ il y a trois jours ~ avant-hier ~ hier ~
aujourd'hui ~ en ce moment ~ demain ~ après-demain ~ la semaine
prochaine ~ le mois prochain

3. a. 3 ~ **b.** 1 ~ **c.** 4 ~ **d.** 5 ~ **e.** 2 ~ **f.** 6

4. a. Dans une semaine, c'est Noël ! **b.** Il a fait tout son travail en une
heure. **c.** Avec le TGV, on fait Paris-Marseille en trois heures.
d. L'avion décolle dans une heure. **e.** N'oublie pas que l'examen est
dans trois jours !

6.8 Bilan, p. 94

1. a. Nous allons déménager la semaine prochaine. **b.** Non, je vais
le passer en septembre prochain. **c.** Nous allons les faire plus
tard. **d.** Ils vont se marier après les vacances. **e.** Nous allons dîner
plus tard.

2. a. Travaillez un peu plus ! **b.** Restons calmes ! **c.** Ne t'inquiète
pas ! **d.** Prenez ce médicament trois fois par jour ! **e.** Écoute-
moi ! **f.** Arrêtons-nous cinq minutes !

🔊 **3.** L'année dernière, Steve est allé en Grèce avec son copain Thomas.
32 C'était la première fois qu'ils partaient tous les deux tout seuls. Ils
ont visité Athènes, et après ils sont allés dans les îles. Ils adorent la
mer et ils nagent très bien tous les deux. Quand ils sont revenus à
Lyon, ils étaient tout bronzés et très contents.

4. a. FAUX (avec "avoir" ou avec "être") **b.** VRAI **c.** FAUX (ouvrir ➔
ouvert / offrir ➔ offert) **d.** FAUX (exemple : venir ➔ il est venu /
mourir ➔ il est mort) **e.** VRAI **f.** VRAI

7.1 Les différents types de phrase, p. 97

1. Il y a trois phrases simples : Hier, avec mes amis, nous sommes allés
au cirque. Le spectacle a commencé à 5h de l'après-midi. Nous
sommes rentrés chez nous à 8h.

2. Les phrases **c**, **d** et **j** sont des phrases complexes (avec deux verbes,
donc deux propositions).

🔊 **3.** Phrases affirmatives = **a** et **e** ~ Phrases négatives = **c** et **i** ~ Phrases
33 interrogatives = **d** et **g** ~ Phrases exclamatives = **f** et **j** ~ Phrases
injonctives (ordre) = **b** et **h**

4. Hier matin, dans la cour du collège, Edouard et Damien se sont
violemment disputés à cause de Muriel. / Hier matin, Edouard et
Damien se sont violemment disputés à cause de Muriel dans la cour
du collège...

7.2 La phrase interrogative (1), p. 99

1. a. Est-ce qu'il s'appelle Patrice ou Patrick ? **b.** Est-ce que tu pars au
ski cet hiver ? **c.** Est-ce qu'elle a passé tous ses examens ?
d. Est-ce que vous vous connaissez depuis longtemps ? **e.** Est-ce
que tu peux venir m'aider, s'il te plaît ? **f.** Est-ce que le festival
commence samedi ou dimanche ?

2. a. Vous avez vu Fiona hier ? **b.** Vous êtes fatigués ? **c.** Tu as
terminé ton travail ? **d.** Ils sont partis ? **e.** Vous avez des rollers ?
f. Elle est dans ta classe ou dans la classe de ta sœur ?

🔊 **3. a.** Tu ne connais pas Patrick Bruel ? **b.** Tu aimes bien le rap ?
34 **c.** Vous n'êtes jamais en retard au lycée ? **d.** Tu ne peux pas m'aider,
s'il te plaît ? **e.** Tu vas chez Sonia demain soir ?

4. Qui est-ce ? = **a**, **d** et **e** (on parle de quelqu'un)
Qu'est-ce que c'est ? = **b**, **c**, **f** (on parle de quelque chose).

5. a. 3 ~ **b.** 1 ~ **c.** 4 ~ **d.** 2

7.3 La phrase interrogative (2), p. 101

1. a. Combien coûte ce pull vert, s'il vous plaît ? **b.** Comment allez-vous ? **c.** Où vas-tu ? **d.** Comment tu t'appelles ? **e.** Ton anniversaire, c'est quand ? **f.** Pourquoi tu es en retard ? **g.** Tu as eu combien à ton exercice de biologie ? **h.** Vous partez où en vacances cette année ?

35 2. a. Demain matin, à 8h **b.** Il s'appelle Benjamin **c.** 13 rue du Nord, à Lille **d.** Parce que j'ai trop chaud ! **e.** En voiture **f.** Oh la la ! Beaucoup trop cher !

3. a. Quelle heure est-il ? **b.** Vous voulez quelles chaussures ? **c.** Tu as quel âge ? **d.** Tu connais quels chanteurs français ? **e.** Quelle est la capitale de la Thaïlande ? **f.** Quel est ton acteur préféré ?

4. a. Laquelle ? La blonde ou la brune ? **b.** Lesquelles, par exemple ? **c.** Lequel ? Monsieur Martin ? **d.** Lesquels ? Edouard et Stan ?

7.4 La phrase négative (1), p. 103

1. a. Je ne suis pas fatigué **b.** Nous ne sommes pas amis. **c.** Vous n'habitez pas dans le centre de la ville ? **d.** Il n'aime pas les hamburgers. **e.** Vous ne lisez pas beaucoup **f.** Tu n'as pas soif ? **g.** Ils n'ont pas d'appareil photo numérique ?

2. a. Ils ne sont pas venus hier soir. **b.** Vous n'êtes pas allés au cinéma ensemble ? **c.** Je n'ai pas travaillé toute la journée. **d.** Tu n'as pas pris ton petit déjeuner ? **e.** Nous n'avons pas regardé la télévision. **f.** Elle n'a pas compris tous les exercices. **g.** On ne va pas sortir samedi soir.

3. a. Il ne veut pas travailler avec nous. **b.** Tu ne peux pas venir à 17h ? **c.** Je ne vais pas terminer ce travail très vite. **d.** Il ne va pas se fâcher, tu crois ? **e.** Vous ne devez pas sortir avant 17h. **f.** Je ne peux pas acheter cette tablette aujourd'hui. **g.** On ne peut pas arrêter l'école à 12 ans ?

4. a. Je n'ai pas de travail **b.** Je n'ai pas d'ordinateur portable **c.** Il n'y a pas de piscine **d.** Je n'ai pas d'amis chinois **e.** Je ne veux pas d'eau **f.** Elle ne mange pas de viande

7.5 La phrase négative (2), p. 105

1. a. Elle ne m'aime plus **b.** Il ne comprend rien **c.** Il ne voyage plus **d.** Elle n'habite plus avec lui **e.** Je ne connais personne à Paris.

2. a. Non, je ne veux rien **b.** Non, il n'y a personne **c.** Non, je ne connais personne **d.** Non, il ne pleut jamais **e.** Non, il ne dit rien **f.** Il ne pleure jamais **g.** Je ne travaille plus **h.** Ils ne vivent plus à Naples.

36 3. a. 3 ~ **b.** 5 ~ **c.** 1 ~ **d.** 6 ~ **e.** 4 ~ **f.** 2

7.6 La place de la négation, p. 107

1. a. Non, je n'ai vu personne **b.** Non, ils ne sont pas encore partis **c.** Non, nous n'y sommes jamais allés **d.** Non, ils n'y habitent plus **e.** Non, je n'ai pas déjeuné **f.** Non, je ne veux rien boire **g.** Non, je ne peux pas t'aider (ou : vous aider) **h.** Non, elle ne veut parler à personne

2. a. Je n'ai rien compris à l'exercice **b.** Le cours n'est pas encore terminé **c.** Ils ne sont jamais allés au théâtre **d.** Nous n'avons rencontré personne **e.** Elles ne se parlent plus

3. a. Ne viens pas demain ! **b.** N'écoute pas ses conseils ! **c.** Ne dis jamais la vérité ! **d.** Ne demande à personne ! **e.** Ne mange rien ! **f.** Ne négociez plus !

7.7 Les relations logiques, p. 109

37 1. cause = **b** (parce que) et **h** (à cause de) ~ conséquence = **e** (c'est pour ça que) ~ but = **a** (pour) et **f** (pour) ~ opposition/comparaison = **d** (alors que) et **g** (en revanche) ~ concession = **c** (malgré)

2. a. 4 ~ **b.** 5 ~ **c.** 1 ~ **d.** 3 ~ **e.** 2 ~ **f.** 6

3. a. et pourtant elle n'a pas de copains ! **b.** Elle est allée se promener malgré la pluie. **c.** Malgré ses efforts, il ne réussit pas... **d.** Je ne trouve pas mes clés, et pourtant j'ai cherché partout !

4. - Pourquoi tu es de mauvaise humeur contre moi ? / - Parce que, comme d'habitude, tu ne m'aides pas. Par contre, ta sœur, elle, elle me propose toujours son aide. Toi, tu ne fais rien à la maison ! / - Je suis fatigué après le lycée. C'est pour ça que je ne t'aide pas. / - Fatigué ! Fatigué ! Elle aussi, elle est fatiguée. Et moi aussi, je suis fatiguée ; et pourtant, on fait la cuisine, on fait le ménage... /

- D'accord, c'est vrai, je ne fais pas le ménage, je ne fais pas la cuisine. Mais pour le bricolage, je suis là ! C'est toujours moi qui bricole ! / - Oui mais tu ne bricoles pas pour rien. Je te paie pour bricoler. / - C'est vrai mais tu sais bien que cet argent c'est pour m'acheter un nouvel ordinateur.

7.8 Bilan, p. 110

1. a, **b** et **c** = réponse avec SI (la question est négative) / **d** et **e** = réponse avec OUI (la question est affirmative).

38 2. a. Qui est-ce ? **b.** Ils sont là ? **c.** Vous partez quand ? **d.** C'est combien ? **e.** Qu'est-ce que c'est ? **f.** Où est-ce ? **g.** Vous partez comment ? **h.** C'est à quelle heure ?

3. a. Non, je n'ai pas de stylo (ou : je n'en ai pas) **b.** Non, elle ne boit pas de thé (ou : elle n'en boit pas) **c.** Non, je n'ai pas le temps **d.** Non, je n'ai pas de temps (ou : je n'en ai pas) **e.** Non, je ne veux pas !

8.1 La destination, la situation géographique..., p. 113

1. a. Il ne vient pas d'Espagne, il vient du Portugal. **b.** Nous arrivons de Belgique et nous allons en Écosse. **c.** Il arrive de Cuba et il s'installe aux États-Unis pour faire ses études. **d.** Vous ne venez pas d'Irlande, n'est-ce pas ? Vous venez d'Angleterre **e.** Je vais d'abord en Argentine et ensuite je voyage au Chili et au Pérou.

2. a. Non, je vais au Canada ! **b.** Non, il habite au Chili **c.** Non, elle part en Colombie **d.** Non, ils vivent au Luxembourg **e.** Non, nous nous installons en Argentine ! **f.** Non, nous allons à Madagascar

3. a. - Séville se trouve au Portugal ? /- Mais non ! C'est en Espagne, en Andalousie. **b.** Tu vas à Berlin pendant les vacances ? / - Non, cette année, nous n'allons pas en Allemagne, nous allons aux Pays-Bas, à Amsterdam. **c.** Paola vient de Milan ? / - Non, elle vient de Palerme. **d.** Cette année, le collège organise un voyage en Belgique. Tu y vas ? / - Non parce que je suis déjà allé à Bruxelles ...

39 4. au Canada / en Espagne / au Portugal / en France / aux États-Unis / à Cuba / à Singapour / en Chine / au Japon

8.2 Les autres prépositions de lieu, p. 115

1. a. FAUX **b.** VRAI **c.** FAUX **d.** FAUX **e.** VRAI **f.** VRAI

2. Elle est sur le canapé. À côté du canapé, il y a une petite table et sur la table, une plante verte. Une horloge est sur le mur. Sous la table, il y a un chat. À côté de la fenêtre, il y a une carte du monde.

8.3 Se situer et s'orienter, p. 117

40 1. a. Bordeaux (le vin) **b.** Strasbourg (Europe) **c.** Cannes (le festival de Cannes) **d.** Annecy (le lac) **e.** Brest **f.** Reims (le champagne) **g.** Lille (près de la frontière belge) **h.** Ajaccio (une île + Napoléon).

2. a. sud **b.** nord-ouest **c.** centre **d.** sud-ouest **e.** est

8.4 Bilan, p. 118

1. a. en Asie / en Corée / au Japon / en Chine **b.** aux États-Unis ? / de Paris **c.** en Angleterre ?/ dans le centre de l'Italie / près de Rome **d.** Tu arrives d'où ? / de Malte / en Egypte

2. (par exemple) Dans la chambre de Mélanie, il y a un lit. Sur le lit, il y a une fenêtre. À gauche, il y a un vélo et un armoire, et à côté, une table avec un plante et un ordinateur, etc.

Bilan final, p. 119-124

1. a. Hier, j'ai mangé des gâteaux délicieux. **b.** Il connaît des pays extraordinaires. **c.** L'entreprise a fini les travaux. **d.** Tu as peur de ces souris ? **e.** Est-ce que les hommes sont des animaux comme les autres ? **f.** Messieurs, mesdames, bonjour !

2. a. Il a une copine irlandaise. **b.** J'ai vu un très bon film hier soir. **c.** Ce sont nos derniers jours de vacances ! **d.** Charline est une jolie fille brune. **e.** Il est nouveau, ce beau pull bleu marine ! **f.** Ce week-end, j'ai rencontré un garçon extraordinaire. **g.** Les deux dernières semaines ont été très agréables. **h.** Il a un petit studio très confortable.

3. a. Le / la / la **b.** un / de l' **c.** du / du / le **d.** La / de la / L' **e.** le / un **f.** des / de la / du **g.** des / une / du / un / du / une **h.** une / une / une / La / la / La / la

41 4. a. Oui, j'en ai. **b.** Oui, j'en ai mangé. **c.** Oui, mets-en un peu. **d.** Oui, je l'ai. **e.** Si, ils en ont beaucoup. **f.** Oui, j'en ai un.

5. a. l' **b.** leur **c.** le **d.** lui **e.** la **f.** les

6. a. très **b.** trop **c.** assez **d.** un peu **e.** peu / beaucoup

TRANSCRIPTIONS

42 🔊 **7. a.** 1452 (mille quatre cent cinquante-deux) / 27 (vingt-sept) **b.** 22 (vingt-deux) / 2002 (deux mille deux) **c.** 77 120 (soixante-dix-sept mille cent vingt) **d.** 01 43 65 41 02 (zéro un, quarante-trois, soixante-cinq, quarante et un, zéro deux) **e.** 06 55 06 95 00 (zéro six, cinquante-cinq, zéro six, quatre-vingt-quinze, zéro zéro)

8. a. On achète tout au supermarché **b.** Ma copine et moi, on s'appelle... **c.** On boit beaucoup de café le matin mais on mange très peu. **d.** On voit beaucoup nos amis / est à Milan **e.** On ne jette jamais rien ! On garde tout ! On est attachés aux choses !

43 🔊 **9. a.** Pour deux semaines. **b.** À Istanbul, en Turquie. **c.** Presque toujours en bus **d.** Parce que je me sens plus libre. **e.** Oui, le 30 juin. **f.** Ma voisine Sidonie.

10. a. Ils ont 13 ans, ils sont petits et ils ont peur de tout ! **b.** Nous sommes français et nous habitons à Lille. **c.** Quand vous faites les courses, vous payez en liquide ? **d.** Vous vous appelez comment ? **e.** Nous voyageons en train, nous préférons. **f.** Qu'est-ce que vous faites ce soir ? Vous allez au cinéma ? **g.** Ils prennent le bus pour aller au lycée ; nous, nous allons avec notre mère en voiture. **h.** Qu'est-ce que vous dites ?

11. a. ma / mon **b.** mes **c.** tes / tes **d.** mon / sa

44 🔊 **12. a.** Pierre est là ? Tu l'as vu ? **b.** Tu travailles encore ? **c.** Tu as déjà fumé ? **d.** Non, rien du tout. **e.** Non, absolument personne. **f.** Non, pas encore. On l'attend !

13. a. Je vais lui écrire = Je n'ai pas encore écrit. **b.** Ils viennent de partir = Ils sont partis. **c.** Ils sont en train de partir = Ils partent. **d.** Tu veux partir ? = Tu n'es pas encore parti.

14. a. sont arrivées / ont dû / ont eu **b.** avons pris / avons marché **c.** ont passé / sont rentrées **d.** se sont inscrits / ont abandonné **e.** ont travaillé / sont sorties / sont allées

15. Mardi, je suis allé au lycée à 8h. J'ai eu un cours de biologie super mais le cours de maths était horrible. J'ai déjeuné à la cantine avec Lou et Marion à 13h. De 14h à 16h, j'ai joué au foot et notre équipe a gagné. À cinq heures, j'avais rendez-vous avec Margot au café de la Paix, c'était très sympa, très bien. Le soir, j'ai vu Terminator à la télé. C'était génial !

16. a. Il y a / depuis / dans / pendant **b.** Il y a / en / Depuis / pendant / dans **c.** il y a / depuis / En / dans

17. a. donc **b.** pourtant **c.** parce qu' **d.** mais **e.** pour

18. a. autant d' **b.** plus d' **c.** autant de **d.** moins **e.** plus / plus **f.** Le meilleur / aussi

45 🔊 **19. a.** 2 ~ **b.** 5 ~ **c.** 6 ~ **d.** 4 ~ **e.** 1 ~ **f.** 7 ~ **g.** 8 ~ **h.** 3

20. a. VRAI **b.** VRAI **c.** FAUX (deux fois par an) **d.** FAUX (géographie, culture, civilisations...)

TRANSCRIPTIONS

UNITÉ 1

Piste 1 : exercice 2, p. 9
a. Vous habitez ici, monsieur ?
b. Merci beaucoup, madame, vous êtes très aimable.
c. Vous habitez tous les deux à Paris ?
d. Vous êtes les nouvelles élèves ?
e. Vous êtes le nouveau professeur ?
f. Vous êtes vraiment tous très aimables.

Piste 2 : exercice 1, p. 11
a. Tu es canadien ? Moi aussi !
b. Je vais bien. Et vous ?
c. Eux, ils sont russes.
d. Le vélo est à elle ou à Christopher ?
e. Il est à lui.
f. Nous, on va au ciné.
g. Et toi ? Tu viens avec nous ?
h. Non, moi, je reste à la maison.

Piste 3 : exercice 2, p. 13
a. un artiste
b. un journal
c. une amie
d. une voisine
e. une copine
f. un Italien
g. un Japonais
h. une Belge
i. un Anglais
j. une Iranienne
k. une élève
l. un pays

Piste 4 : exercice 1, p. 19
petit
blonde
brune
gros
tranquille
vieux
nouveau
belle
aimable
espagnole
difficile
allemande
bonne
mauvais
correcte
directe
facile
fou
jaloux
sympathique
premier

Piste 5 : exercice 1, p. 23
a. La tour ICC à Hong-Kong mesure 484 m. et la Freedom Tower à New-York mesure 417 m.
b. La ricotta apporte 150 calories pour 100 g. Le camembert apporte 310 calories pour 100 g.
c. Mon nouvel iPhone fait 32 giga octet et mon vieux iPhone avait 16 giga octet.
d. Les leggings noirs sont super mais ils coûtent vingt-deux euros. Je vais prendre les gris. Quinze euros, ça va !

Piste 6 : exercice 1, p. 25
...Il y a trente-trois candidates qui rêvent de devenir Miss France. Elles sont toutes belles, jeunes et ambitieuses...
Nous avons choisi de vous en présenter quatre : Monica, Margaux, Camille et Hina. Elle s'appelle Monica, elle vient de Martinique. Elle a vingt ans et elle mesure un mètre soixante-dix. C'est une grande sportive : elle pratique la natation, l'escrime, la boxe...
Margaux a vingt-trois ans. Elle termine un master de langues étrangères appliquées. Elle est très bonne musicienne. Elle joue du piano depuis l'âge de six ans.

Camille a dix-neuf ans. Elle vient du nord de la France. C'est une jolie fille blonde d'un mètre quatre-vingts. Elle étudie dans une école de commerce.
Hina vient de Tahiti. Elle a vingt-quatre ans et un sourire magnifique. Elle mesure un mètre soixante-quatorze. Elle étudie le tourisme.

UNITÉ 2

Piste 7 : exercice 1, p. 29
a. les enfants
b. le temps
c. le chien
d. les copains
e. les amis
f. le hasard
g. les élèves
h. le stylo
i. les cahiers
j. le livre
k. le français
l. les Français

Piste 8 : exercice 1, p. 33
a. un enfant
b. une amie
c. une histoire
d. un aviateur
e. un animal
f. une idée
g. une aventure
h. une adresse
i. une école
j. un ananas
k. un hôtel
l. un anniversaire

Piste 9 : exercice 1, p. 35
a. Tu connais la femme du boulanger ?
b. Qu'est-ce que vous buvez ? Du vin blanc ou de l'eau ?
c. Il a du courage et de la patience.
d. C'est le cousin du voisin de ma grand-mère.
e. La cloche sonne. C'est la fin du cours de maths !
f. Pour dîner, tu veux du poisson ou une omelette ?

Piste 10 : exercice 1, p. 37
a. Voilà ses enfants.
b. Il ne connaît pas notre adresse.
c. C'est ma sœur Jeanne.
d. Ce n'est pas son idée.
e. Regardez ! C'est votre ami Pierre.
f. Vos enfants sont arrivés.
g. Nous avons perdu nos clés.
h. Tu me prêtes tes baskets, s'il te plaît ?

Piste 11 : exercice 4, p. 39
a. Regarde ça ! Comme d'habitude, il n'a pas rangé sa chambre !
b. J'adore ça, surtout au chocolat.
c. Je trouve ça très difficile à cause de la grammaire.
d. Ça coûte combien le kilo, s'il vous plaît ?

Piste 12 : exercice 3, p. 40
- Qui c'est sur cette photo ?
- C'est mon oncle Fred, le frère de mon père. Et à côté de lui, c'est sa femme, Diana. Ils ont deux fils.
- Ils habitent où ?
- Aux États-Unis. Tu vois, ils vivent dans ce chalet, là, à gauche. Derrière, tu vois ces montagnes ? Ce sont les Rocheuses. Cette année je vais deux semaines chez eux. Mes cousins sont super ! Ils ont mon âge.
- Et ta mère, elle a des frères ?
- Non, mais elle a deux sœurs. Ma tante Hélène habite à Paris, elle va se marier cet hiver. L'autre, ma tante Flora, a vingt ans. Elle

fait ses études à Marseille. Elle habite chez ses parents. Tiens, regarde cette photo, ils vivent dans cet appartement, là, au dernier étage, avec une énorme terrasse juste au bord de la mer.
- Et tes autres grands-parents, ils habitent où ?
- Les parents de mon père ? Mon grand-père est mort. Ma grand-mère habite en Normandie dans une ferme, avec ses chats, ses chiens, ses poules, son âne et sa chèvre ; chez elle, c'est presque un zoo !

UNITÉ 3

Piste 13 : exercice 3, p. 43
a. Moi, je trouve qu'il la regarde beaucoup trop !
b. Si tu veux, on peut les inviter à dîner samedi ou dimanche.
c. Ça fait très très longtemps que je l'ai lu, des années !
d. Moi, en général, je préfère les faire le soir, avant le dîner.
e. En général, toi, tu les achètes où ? Dans ton quartier ?
f. Je ne la prends pas tous les jours.

Piste 14 : exercice 1, p. 45
a. On téléphone à ton frère ?
b. Qu'est-ce que tu offres à ta copine pour son anniversaire ?
c. Tu viens avec nous chez Julien ?
d. Tu parles souvent à Katia et à Noémie ?
e. Inès ne comprend pas l'exercice. Elle a besoin d'aide.

Piste 15 : exercice 4, p. 47
a. Vous allez en Espagne cette année ?
b. Tu as déjà pris ton petit déjeuner ?
c. Tu as mangé des tartines ?
d. On prend le bus où ?
e. Vous voulez des croissants ? Combien ?
f. Tu vois souvent tes cousins ?
g. Tu vas au cinéma ce soir ?
h. Tu as fait ton travail pour jeudi ?

Piste 16 : exercice 2, p. 51
a. Tu as écrit à ton correspondant français?
b. Tu utilises souvent ton dictionnaire ?
c. Tu te dépêches, s'il te plaît !
d. Tu veux des livres pour ton anniversaire ?
e. Tu vas aller chez Kevin dimanche ?

Piste 17 : exercice 2, p. 52
a. Où tu achètes tes DVD ?
b. Tu achètes des fruits, s'il te plaît ?
c. Elle achète sa guitare à Nick ?
d. Tu peux acheter le journal s'il te plaît ?
e. C'est pour eux, ces cadeaux ?
f. Elle a acheté une voiture ?

UNITÉ 4

Piste 18 : exercice 1, p. 55
a. Tu as des problèmes de santé ?
b. Impossible de sortir avec vous ce week-end.
c. Jim, attention ! Tu vas grossir !
d. La fête était un succès !
e. Pour être en forme, il faut manger...

Piste 19 : exercice 4, p. 59
a. Le numéro de ma copine de Bordeaux, c'est le 04 77 12 03 77.
b. Tu veux le numéro du portable de Patricia ? Je te le donne. Tu notes ? 06 50 61 71 97.
c. Si tu vas à Paris, appelle mes copains. Leur numéro, c'est le 01 40 44 87 11.
d. Pour prendre un rendez-vous médical, faites le 02 45 77 80 21. Une secrétaire vous répondra.

Piste 20 : exercice 2, p. 60
a. Le soir, elle mange peu.
b. Cet homme est trop poli.
c. Je n'aime pas du tout le poisson.
d. Il n'a pas assez travaillé.

Piste 21 : exercice 5, p. 60
a. Quelle chance ! Il a gagné 3 600 euros au loto.
b. Il est né en décembre 1989.
c. Attention, mon numéro de portable a changé. Il faut faire le 06 55 74 87 27. Merci. Je répète : 06 55 74 87 27.

UNITÉ 5

Piste 22 : exercice 2, p. 63
1. Maman, j'ai faim !
2. Oh la la ! J'ai peur ! Je déteste l'obscurité !
3. Je suis fatiguée, j'ai sommeil !
4. Brrr ! On gèle ici ! J'ai froid !
5. J'ai trop chaud !
6. J'ai mal à la tête ! C'est terrible !

Piste 23 : exercice 2, p. 67
1. J'ai mal partout, au ventre, à la tête, à la gorge !
2. Deux heures de jogging ! Je suis morte de fatigue.
3. Il est quelle heure ?
4. J'ai cours à huit heures demain.
5. Tu as vu l'heure ! On est en retard !
6. Il fait froid ce matin ? Il neige ?

Piste 24 : exercice 1, p. 69
a. Il sort à six heures.
b. Ils mettent un manteau.
c. Elles sortent très tard.
d. Elle finit le stage samedi.
e. Elles réussissent très bien.
f. Il part demain.
g. Ils connaissent les États-Unis.
h. Elles écrivent dans un blog.

Piste 25 : exercice 2, p. 71
a. - Qu'est-ce que tu fais dimanche ?
   - J'ai un match de tennis très important.
b. Je ne vais pas à Paris.
c. On prend le bus ou on y va en vélo ?
d. N'oublie pas de mettre ton passeport dans ton sac.
e. De chez moi à chez Eric, je mets dix minutes.
f. Mon frère est super grand, il fait 1,80 m.
g. Pour aller à la piscine, prenez la deuxième rue à droite. Après, c'est tout droit.

Piste 26 : exercice 1, p. 73
a. Ils peuvent venir ?
b. Je veux sortir !
c. Elle veut voyager.
d. Nous savons tout !
e. Vouloir, c'est pouvoir !
f. Tu veux, oui ou non ?

UNITÉ 6

Piste 27 : exercice 2, p. 81
1. J'adore l'été, le soleil, la chaleur.
2. Oui, j'ai trois chats et deux chiens.
3. Je suis très intelligent et sympathique.
4. Oui, je fais du ski et je danse dans les boîtes.
5. Au bord de la mer. J'adore la plage.
6. Le mariage ? Ah non ! Je préfère rester libre !
7. Moi ? Je n'ai pas de défaut !
8. Heu.... Rien ! Je ne travaille pas !

Piste 28 : exercice 4, p. 83
a. Ne jetez pas d'objet par la fenêtre !
b. Va voir un spécialiste, c'est préférable !
c. Arrête immédiatement !
d. Laisse ton frère tranquille !
e. Si tu es fatiguée, repose-toi un moment.
f. Ne bois pas trop de café, tu sais bien que ce n'est pas très bon pour le cœur.

Piste 29 : exercice 2, p. 85
a. Un jour, tu sauras la vérité.
b. L'année prochaine, nous irons faire le tour de l'Italie à bicyclette.
c. En 2050, Kent aura... Oh la la ! Il aura cinquante ans !
d. Patience ! Bientôt, je te dirai tout !
e. Désolée, mais dimanche prochain je ne pourrai pas venir au pique-nique.
f. Dans vingt ans, il fera beaucoup plus chaud que maintenant.

Piste 30 : exercice 1, p. 89
a. Le pauvre, il a beaucoup souffert.
b. Alors, finalement, tu as compris ?
c. Tu as eu peur ?
d. Vous avez reçu mon message ?
e. Tu n'as pas vu mes clés ?
f. Et ta correspondante française ? Tu lui as écrit ?
g. Ils ont vécu vingt ans à Marseille.
h. Comme tous les jours, nous avons pris le bus 32.
i. Elle est venue à midi.
j. Elle est née en 2002.

Piste 31 : exercice 1, p. 91
a. Il viendra demain à six heures.
b. Tu n'aimes pas le thé vert ?
c. Il faisait un froid terrible.
d. C'était en octobre ou en novembre.
e. Il mange beaucoup trop.
f. Tu fumes encore !
g. On finira demain.
h. J'allais toujours jouer au basket le samedi après-midi.

Piste 32 : exercice 3, p. 94
L'année dernière, Steve est allé en Grèce avec son copain Thomas. C'était la première fois

qu'ils partaient tous les deux tout seuls. Ils ont visité Athènes, et après ils sont allés dans les îles. Ils adorent la mer et ils nagent très bien tous les deux. Quand ils sont revenus à Lyon, ils étaient tout bronzés et très contents.

UNITÉ 7

Piste 33 : exercice 3, p. 97
a. Tonio déteste les mathématiques.
b. Allez, vite, partons !
c. Je ne te crois pas du tout.
d. Comment allez-vous aujourd'hui ?
e. Elle habite à Milan avec son père.
f. C'est vraiment superbe !
g. Vous n'aimez pas le hard-rock ?
h. Mais enfin, écoute-moi une minute !
i. Il n'est pas venu au collège hier.
j. Il est trop beau, ce livre !

Piste 34 : exercice 3, p. 99
a. Mais si, bien sûr ! Tout le monde le connaît !
b. Oui, beaucoup ! Et toi ?
c. Oh si ! Ça m'arrive souvent !
d. Si, bien sûr ! Tout de suite.
e. Oui. Tu es invité aussi ?

Piste 35 : exercice 2, p. 101
a. Tu pars quand ?
b. Il s'appelle comment ?
c. Vous habitez où ?
d. Pourquoi tu ouvres toutes les fenêtres ?
e. Vous partez comment ?
f. Ça coûte combien, à ton avis ?

Piste 36 : exercice 3, p. 105
1. Il travaille avec quelqu'un ?
2. Tu manges quelque chose ?
3. Encore un peu de gâteau ?
4. Il joue souvent avec vous ?
5. Le prof est déjà là ?
6. Vous travaillez toujours ?

Piste 37 : exercice 1, p. 109
a. J'ai pris le métro pour arriver plus vite.
b. Ils sont très heureux parce que demain c'est les vacances !
c. Il a cent ans, mais malgré son âge, il est encore très sportif.
d. Moi, je suis blonde alors que mes deux frères sont bruns.
e. Elle adore rire et moi aussi. C'est pour ça qu'on est très amies.
f. Il faut trois cents euros pour faire ce voyage.
g. J'ai adoré le livre *Harry Potter*. En revanche, le film, non !
h. On a arrêté le match de tennis à cause de la pluie.

Piste 38 : exercice 2, p. 110
a. C'est ma copine Mara.
b. Non, ils sont encore là.
c. On part demain.
d. Trois euros cinquante.
e. Cette boîte ? C'est mon nouvel ordinateur.
f. C'est à Paris !
g. En avion.
h. À 16h10.

UNITÉ 8

Piste 39 : exercice 4, p. 113
Mon oncle est un grand voyageur. Pour lui, les voyages, c'est une passion ! Il est allé un peu partout dans le monde : il a voyagé en Espagne, au Portugal, en Pologne, en France, en Angleterre ! Partout ! Partout ! Partout ! Lui, il vit à Montréal, au Canada. Alors, bien sûr, il va très souvent aux États-Unis. Sa femme est cubaine. C'est pour ça qu'il va assez souvent à Cuba. Il travaille dans une entreprise d'import-export. Il travaille beaucoup avec l'Asie. Alors, évidemment, il va chaque année au Japon, en Chine, à Singapour.

Piste 40 : exercice 1, p. 117
a. Je suis une grande ville dans le sud-ouest de la France. Je suis très belle et célèbre pour mon bon vin. Je suis...
b. Moi, je suis à l'est de la France, tout près de l'Allemagne, juste à la frontière. Je suis une ville très européenne. Je suis...
c. Moi, je suis au soleil, au bord de la Méditerranée, pas loin de Nice. Et mon festival de cinéma est célèbre. En mai, toutes les stars sont là ! Je suis...
d. Moi, je suis une très jolie ville près de Genève, au bord d'un lac magnifique. Vous voulez nager ? Il y a le lac. Vous voulez skier ? Il y a les Alpes pas loin. Je suis...
e. Moi, je suis la ville la plus à l'ouest. Si vous continuez tout droit, vous arrivez en Amérique ! Je suis...
f. Et moi, et moi, et moi ! Je ne suis pas très grande, mais j'ai une cathédrale magnifique et je suis la capitale du champagne. Je suis...
g. Je suis une grande ville du Nord, tout près de la Belgique. Chez moi, il ne fait pas toujours beau, mais la vie est belle : on aime bien manger et s'amuser. Je suis...
h. Je suis la plus grande ville d'une île française magnifique qu'on l'appelle Île de Beauté. Avant, j'étais italienne. Napoléon est né ici. Je suis...

BILAN FINAL

Piste 41 : exercice 4, p. 120
a. Vous avez des croissants, s'il vous plaît ?
b. Qu'est-ce que tu as mangé hier soir ? Du poisson ?
c. Avec les pâtes, qu'est-ce que je mets ? De la sauce tomate ?
d. Tu as ta nouvelle carte bleue ?
e. Moi, je pense qu'ils ont du courage. Pas toi ?
f. Tu as un stylo, s'il te plaît ?

Piste 42 : exercice 7, p. 120
a. Le train 1452 en direction de Nantes partira voie 27.
b. Il est né le 22 mars 2002.
c. Le code postal de la ville où on habite est 77120.

d. Et notre téléphone fixe, c'est le 01 43 65 41 02.
e. Mon numéro de portable ? C'est facile! C'est le 06 55 06 95 00.

Piste 43 : exercice 9, p. 121
a. Vous partez pour combien de temps ?
b. Cette année, vous allez où en vacances ?
c. Comment tu vas au lycée en général ?
d. Ah bon, vous préférez voyager en voiture ! Pourquoi ?
e. Tu sais quand les cours finissent ?
f. Je ne la connais pas. Qui est-ce ?

Piste 44 : exercice 12, p. 122
a. Non, je ne l'ai pas vu ce matin.
b. Non, ça y est, j'ai fini.
c. Oui, mais je ne fume plus.
d. Il vous a dit quelque chose ?
e. Vous connaissez quelqu'un au Japon ?
f. Jane est déjà arrivée ?

Piste 45 : exercice 19, p. 124
1. Mais tu sais très bien que dans cette piscine, on ne peut pas se baigner en famille le matin !
2. Dites donc ! Vous n'avez pas vu le panneau ? C'est défendu de marcher sur l'herbe.
3. Désolé, madame ! Il faut laisser le chien à l'extérieur du magasin.
4. C'est le dernier jour pour faire de bonnes affaires.
5. Demain, mardi, il faut garer la voiture dans un autre endroit.
6. Les voitures doivent faire attention aux enfants qui sortent de l'école.
7. Ici, il ne faut pas parler trop fort, rire, chanter....
8. Dans ce magasin, c'est mieux de faires ses courses le jeudi.

A

à
* + heure *(Il arrive à huit heures)* 92
* + lieu *(Nous allons à Budapest)* 112

accord du participe passé (∩ passé composé) 88

adjectifs démonstratifs (**ce, cet, cette, ces**) 38

adjectifs cardinaux (**un, deux, trois**...) 58

adjectifs ordinaux (**premier, deuxième, troisième**...) 58

adjectifs possessifs (**mon, ma, mes**) 11

adjectifs qualificatifs
* masculin/féminin 18
* singulier/pluriel 20
* place des adjectifs 20

adjectifs de couleur *(des yeux marron)* 20

alors que (∩ opposition) 108

article
* contracté (**au(x) = à + le(s) / du = de + le / des = de + les**) 30
* défini (**le, la, l', les**) 28
* indéfini (**un, une, des**) 32
* partitif (**du, de la, des**) 34

assez, assez de + nom *(Il n'a pas assez d'argent ?)* 54, 56

aussi + adj. ou adv. + **que** (∩ comparatifs) 22

autant de + nom + **que** (∩ comparatifs) 22

avoir faim, soif, peur, mal,... *(Tu n'as pas faim ?)* 62

 B

beaucoup, beaucoup de 54

bien → mieux *(Il travaille mieux que l'année dernière)* 22

bon → meilleur *(Ses notes sont meilleures !)* 22

but 108

C

ça (cela) pronom démonstratif *(Donne-moi ça!)* 38

ça fait + durée + **que** *(Ça fait une heure que je t'attends !)* 76

cause 108

à cause de 108

ce, cet, cette, ces (∩ adjectifs démonstratifs) 38

c'est pour ça que (cause → *Il est malade et c'est pour ça qu'il n'est pas venu)* 108

comment ? 100

comparatifs 22

complément d'objet direct COD 42

complément d'objet indirect COI 44

COD / COI (place) 42, 44

concession 108

connaître 72

connecteurs logiques 108

conséquence 108

construction des verbes *U5, Conjugaison et Construction des verbes*

côté, à côté de *(La pharmacie est juste à côté de la banque.)* 114

 D

dans + temps *(Le train part dans vingt minutes)* 92

de (provenance, origine → *Malaka vient d'Afrique.)* 112

de.... à....
* temps → *J'ai des cours de 9h à 17h.* 92
* lieu → *Pour aller de Paris à Marseille, on passe par Lyon ?* 112

défini (∩ article) 28

démonstratifs (∩ adjectifs et pronoms démonstratifs) 38

depuis + date ou durée ou événement *(Je suis dans ce collège depuis 2014, depuis deux ans, depuis mon arrivée à Lyon)* 92

derrière / devant 114

devoir
* verbe de modalité → obligation *(Excusez-moi, je dois partir.)* 74
* verbe de modalité → supposition, éventualité *(Il n'est pas là ? Il a dû avoir un problème.)* 74

donc (conséquence) 108

du
* article contracté (**de + le**) 30
* article partitif *(du vent, du soleil...)* 34

durée 92

 E

en
* + durée *(Il a fait ce travail en dix minutes.)* 92
* + lieu *(Il habite en Belgique ?)* 112
* + mois ou année *(Il est né en mars / en 2000.)* 92
* + moyen de transport *(On y va en voiture ou en train ?)* 11

en face de *(Installe-toi en face de moi.)* 114

entre
* + lieu *(On habite entre une boulangerie et une pâtisserie.)* 114
* + temps *(Je viendrai entre 10 et 11 h.)*

Est-ce que... ? *(Est-ce que vous parlez français ?)* 98

 F

falloir (verbe de modalité → obligation : *Il faut se dépêcher !)* 74

fréquence *(Je ne vais pas tous les jours au lycée.)* 92

futur
* proche *(Il va partir demain.)* 84
* simple *(Il partira l'an prochain.)* 84

G

genre des noms communs 12

genre des adjectifs qualificatifs 18

H

heure *(Il est dix heures.)* 76

I

ici / là 114

il est + adjectif / **c'est un** + nom *(Il est argentin. ~ C'est un Argentin.)* 16

il y a 76
* présentatif/existence → *Dans mon sac, il y a mille choses !*
* + durée *(Je l'ai rencontré il y a deux heures.)*
* + que *(Il y a longtemps que je t'aime.)*

imparfait *(Avant, elle était timide.)* 90

imparfait/passé composé 90

impératif affirmatif *(Viens !)* 82

impératif négatif *(Ne dis rien !)* 82

impératif et place des pronoms *(Ne lui dis rien !)* 82

interrogation totale *(Tu es là ?)* 98

les trois formes de l'interrogation 98

interrogation partielle 100
* **où ?** *(Où vas-tu ?)* 100
* **quand ?** *(Quand partez-vous ?)* 100
* **comment ?** *(Comment ça s'est passé ?)* 100
* **combien ?** *(Combien ça coûte ?)* 100

interrogation par inversion *(Comment allez-vous ?)* 98

J

jamais ; ne... jamais *(Je ne l'ai jamais rencontré)* 104

L

là / là-bas 114

le, la, l', les
* ∩ article défini 28
* ∩ pronom complément d'objet direct 42
* **le** + date, jour, moment de la journée 92

lequel, laquelle, lesquels, lesquelles *(Lequel tu préfères ?)* 100

liaison après l'article / après le nombre

leur
* ∩ adjectif possessif 36
* ∩ pronom complément d'objet indirect pluriel masc./fém. 44

lui
* ∩ pronom complément d'objet indirect singulier masc./fém. 44
* ∩ pronom tonique masculin 10

M

mais 108

malgré + nom (opposition/concession) → *(Elle est sortie malgré la pluie.)* 108

masculin et féminin
* des adjectifs (∩ adjectif) 18
* des noms (∩ nom commun) 12

meilleur / mieux 22

le même, la même *(Elle a la même veste que moi.)* 22

modalité (verbes de modalité) 72

moi aussi / moi non plus 10

moi-même / toi-même *(Il a tout fait lui-même, sans aide.)* 10
moins + adj. ou adverbe + **que** (⌂ comparatifs) 22
moins de + nom + **que** (⌂ comparatifs) 22
mon, ma, mes (⌂ adjectifs possessifs) 36

N

négation
* **ne... pas** 102
* **ne... jamais, ne... personne, ne... plus, ne.... rien** 104
place de la négation 106
* négation au présent *(Il ne dit rien.)*
* négation au passé composé *(Il n'a rien dit.)*
* négation avec deux verbes *(Il ne veut rien dire.)*
* négation à l'impératif *(Ne dis rien !)*
noms communs 12, 14
nombre (singulier / pluriel) 14, 20
noms de pays et prépositions 112
noms propres 12
nombres cardinaux (**un, deux, trois**...) 58
nombres ordinaux (**premier, deuxième, troisième**...) 58
nos, vos, leurs (⌂ adjectifs possessifs) 36
notre, votre, leur (⌂ adjectifs possessifs) 36

O

on 8
* **nous** *(Caroline, Paolo et moi, on est très amis.)*
* les gens en général *(En Espagne, on dîne très tard.)*
* **quelqu'un** *(Écoute ! On a sonné, je crois.)*
opposition *(Il est blond alors que sa sœur est très brune.)* 108
où 48
* pronom relatif de lieu *(C'est la ville où je suis né.)*
* pronom relatif de temps *(C'est l'année où je suis né.)*
Oui / Si / Non 98

P

parce que (explication ➜ *Il est parti parce qu'il ne trouvait pas de travail ici.)* 100
par contre (opposition ➜ *Il fait du sport. Par contre, son frère déteste ça.)* 108
participe passé 86, 88
partitif (⌂ article) 34
pas de *(Il n'y a pas de soleil aujourd'hui.)* 102
pas du tout *(Je ne l'aime pas du tout ! Je le déteste !)* 104
passé composé
* avec l'auxiliaire **avoir** 86
* avec l'auxiliaire **être** (accord sujet/ participe) 86
* avec les deux auxiliaires 86
passé composé/imparfait 90
passé récent *(Il vient de sortir il y a deux minutes.)* 80

pendant + durée 92
personne 104
* **ne.... personne** ➜ *Tu n'as rencontré personne ?*
* **personne ne....** ➜ *Personne n'a téléphoné ?*
peu *(Elle mange peu. Lui, par contre, il mange beaucoup !)* 56
phrase simple / phrase complexe 96
pire *(C'est horrible ! C'est le pire jour de ma vie !)* 24
place
* des adjectifs 20
* des COD et COI 50
* des COD et COI avec l'impératif 50
* de la négation 106
plus + adj. ou adv + **que** ... (⌂ comparatif) 22
plus de + nom + **que** (⌂ comparatif) 22
plus (ne... plus ➜ *Il n'y a plus de pain. Va en acheter, s'il te plaît.)* 104
possessifs (⌂ adjectifs possessifs / pronoms possessifs) 36
pour + infinitif (but ➜ *Il a travaillé tout l'été pour s'acheter une moto.)* 108
pourtant (opposition/concession ➜ *Il mange beaucoup, et pourtant, il est très maigre.)* 108
pouvoir (verbe de modalité ➜ *Vous pouvez m'aider, s'il vous plaît ?)* 72
préposition
* + lieu 112
* + temps 92
* + moyen de transport 112
présent de l'indicatif 80
présent progressif (**être en train de** + infinitif) 80
pronom
* complément d'objet direct COD : **le, la, l', les** 42
* complément d'objet indirect COI : **lui, leur** 44
* pronom personnel sujet : **je, tu, il...** 8
* pronom réfléchi *(Tu te dépêches ?)* 48
* pronom réciproque *(Ils se disputent tout le temps.)* 48
* pronom relatif : **qui, que, où** 48
* pronoms toniques : **moi, toi, lui...** 10
* le pronom **en** 46
* le pronom de lieu **y** 46
* la place des pronoms avec l'impératif / avec la négation 50
pronominaux (⌂ verbes) 66

Q

quand 100
quantitatifs 54, 56, 58
que, pronom relatif *(C'est un livre que j'aime beaucoup.)* 48
quel, quelle, quels, quelles + nom (adjectif interrogatif) *(Tu veux aller dans quel café ?)* 100
quelqu'un *(Tu connais quelqu'un à Melbourne ?)* 104
quelque chose *(Vous voulez boire quelque chose ?)* 104

qui, pronom relatif *(C'est un livre qui a beaucoup de succès.)* 48
Qui est-ce ? / Qu'est-ce que c'est ? 98

R

relatifs (⌂ pronoms relatifs)
relations logiques 108
rien
* **ne... rien** ➜ *Je ne veux rien, merci.* 104
* **rien ne...** ➜ *Rien n'a changé !* 104

S

savoir (verbe de modalité) 72
* + nom : *Tu sais ta leçon ?* (➜ **connaître**)
* + infinitif : *Elle sait nager.* (➜ avoir la capacité de)
son, sa, ses (⌂ adjectifs possessifs) 36
souvent *(Il vient souvent me voir, presque tous les jours.)* 92
superlatif *(C'est le meilleur groupe de rap du monde !)* 24

T

temps (⌂ présent, passé, futur ➜ ⌂ conjugaisons / ⌂ durée) U5, U6
ton, ta, tes (⌂ adjectifs possessifs) 36
toujours *(Il est toujours en retard !)* 92
très 56
trop, trop de *(Ne mets pas trop de sel !)* 54, 56
tous *(Je connais beaucoup d'élèves mais pas tous.)*
tout *(Tu as pensé à tout ?)* 56
tout le monde *(Tout le monde est là ?)* 56
train (**être en train de** + infinitif ➜ *Il est à la cuisine, il est en train de préparer le dîner)* 80

U

un, une (⌂ article indéfini) 32
un peu, un peu de 54, 56

V

verbes
* verbes en -**er** 64
* verbes en -**ir** (2e groupe) 68, 70
* verbes du 3e groupe 68, 70
* temps des verbes (⌂ temps, présent, imparfait, passé composé, futur... + conjugaison) U6, Conjugaison
vouloir (verbe de modalité ➜ *Elle veut étudier le cinéma.)* 72
vous
* de politesse *(Pardon madame, vous parlez français ?)* 8
* pluriel *(Vous êtes tous les deux dans la même classe ?)* 8

Y

y, complément de lieu
* **il y a** + durée *(Je l'ai vu une seule fois, il y a vingt ans.)* 76
* **il y a... que** + durée *(Il y a cinq ans que je fais du piano.)* 76

LA GRAMMAIRE SANS PROBLÈME !

Auteure
Sylvie Poisson-Quinton

Révision pédagogique
Michèle Grandmangin-Vainseine

Édition
Alícia Carreras

Correction
Laetitia Riou

Conception graphique et couverture
Laurianne López ; Oscar García

Mise en page
Laurianne López

Illustrations
Flavita Banana

Enregistrements
Blind Records, Enric Català ; Nicolas Salvado, Ivan Benilan, Constantin Benilan, Laetitia Addi, Margaux Addi, Noa Addi, Marie de Metz.

© Photographies et images
page 23 Ingvald Kaldhussater/Dreamstime.com, Alexander Kirch/Dreamstime.com ; page 25 Daniel Raustadt/Dreamstime.com, Bartlomiej Magierowski/Dreamstime.com, Kutt Niinepuu/Dreamstime.com ; page 29 Ashestosky/Dreamstime.com ; page 31 Christophe Testi/Dreamstime.com ; page 63 Jaguarps/Dreamstime.com ; page 75 Rudy Umans/Dreamstime.com, Aftertime/ Dreamstime.com, Arkadi Bojaršinov/Dreamstime.com, Arkadi Bojaršinov/Dreamstime.com, Buch/Dreamstime.com, Goran Bogicevic/Dreamstime.com, Valentino Visentini/Dreamstime.com, Miguel angel Salinas salinas/Dreamstime.com ; page 77 Ileana Marcela BosogeaTudor/Dreamstime.com, Lucidwaters/Dreamstime.com, Perreten/Dreamstime.com, Roza/Dreamstime.com, Silvian Tomescu/Dreamstime.com, Veronika Galkina/Dreamstime.com ; page 116 Carmen-Puica/Dreamstime.com.

© Les auteurs et Difusión, Centre de Recherche et de Publications de Langues, S.L.,2015

ISBN : 978-84-16273-55-3
Dépôt légal : B 00930-2015
Réimpression : mars 2016
Imprimé dans l'UE

www.emdl.fr/fle

DANGER

LE PHOTOCOPILLAGE TUE LE LIVRE